ISLAM

YOUNIS TAWFIK

ISLAM

Traduit de l'italien par Joëlle Mnouchkine

LIANA LEVI

Direction de collection : Donatella Volpi

Conception graphique et maquette : Studio Cancelli

Il existe de nombreux livres sur l'islam et l'on pourrait penser que tout a déjà été dit sur ce sujet. Toutefois, si l'on pense que chaque religion représente la conscience de l'homme, qu'elle reflète sa nature et sa pensée, on ne peut que conclure que toute religion évolue nécessairement, même quand elle semble immuable.

L'islam en particulier englobe l'essence de l'être humain au point de devenir une philosophie du quotidien: inséparable de la vie et du contexte social, il est donc en continuelle évolution.

Au sens littéral du terme, islam signifie "soumission à la volonté divine" mais la racine du mot exprime aussi l'idée de "paix" et de "droiture de l'âme". Le musulman vit intensément le rapport avec son Créateur à travers une pratique religieuse qui touche chaque moment de son existence. En effet, la *chari'a*, la Loi islamique, la "voie tracée" qui "conduit à Dieu", est un fondement religieux qui concerne autant la dimension sociale que la dimension privée.

Une religion aussi solide et intense porte inévitablement à la discussion, particulièrement dans sa confrontation avec l'Occident. Cependant la rencontre du monde islamique avec l'Occident moderne n'a pas été faite seulement de conflits, car par le passé, l'islam a donné une importante contribution au développement de la civilisation européenne. Mais l'époque contemporaine, marquée par le colonialisme et la naissance d'États islamiques indépendants, est extrêmement complexe. À tel point qu'il existe souvent une grande confusion entre ce qu'est et ce que n'est pas l'islam.

Différentes interprétations, parfois discutables, se sont affrontées au seinmême de cette religion révélée et universelle, répandue dans de vastes régions, très différenciées du point de vue culturel.

Nous avons donc encore besoin de livres qui expliquent de façon simple et objective – surtout pour celui qui s'en approche de l'extérieur – l'histoire, les croyances, le culte et plus généralement la vie quotidienne des fidèles de l'islam. J'ai apprécié le choix de l'éditeur d'en confier la rédaction à un auteur musulman, né et élevé dans la culture islamique. Si aux yeux des lecteurs cela peut signifier une plus grande crédibilité, cela a offert à l'auteur une nouvelle occasion de réfléchir à sa propre religion afin de la "raconter" librement et passionnément.

Aperçu historique

Les Arabes avant l'islam

Le Coran a défini la société arabe antérieure à l'islam par le terme *al-Jâhiliyya*, "ignorance", lequel fait référence autant au polythéisme qu'à l'existence d'us et coutumes que l'islam réprouve. Malgré cette qualification péjorative, la période d'avant la Révélation islamique est considérée par la majorité des historiens comme un moment artistiquement fécond dans la civilisation arabe et auquel on doit la création de nombre de cités qui vont devenir d'importants centres de culture et de commerce.

Le peuple arabe, de souche sémite, est divisé en deux lignées, Qahtân et 'Adnan, qui à l'origine occupent respectivement l'Arabie méridionale et l'Arabie septentrionale. Par la suite les migrations en feront un seul peuple. Dès le VIIIe siècle avant notre ère le sud de l'Arabie est une région riche de plusieurs foyers de civilisations très développées tels que les États minéens, sabéens et himyarites. En revanche, jusqu'à l'avènement de l'islam, le Nord reste une région de prépondérance du nomadisme où le niveau de développement se résume à des centres caravaniers ou à des "États-tampons" soutenus par les empires frontaliers : ainsi l'Irak protégé par la Perse, et la Syrie, satrapie perse conquise par Alexandre le Grand, puis par les Romains et enfin soumise aux Byzantins. C'est parmi ces peuplades nomades que se développe la langue arabe, adoptée plus tard par la tribu des Qouraychites, dans laquelle le Prophète recevra la Révélation du Coran. Cette langue appartient au groupe des langues sémitiques et s'est développée

Arabes. L'appellation "Arabes" apparaît dans des textes assyriens dès le premier millénaire avant notre ère où elle désigne les nomades des déserts et des steppes de l'Arabie septentrionale et de la Syrie. À l'époque gréco-romaine, le terme s'applique indistinctement à toutes les peuplades de la péninsule Arabique.

Page de gauche : Paysage d'Arabie Saoudite tel qu'il a dû se présenter avant l'avènement de l'islam.

En bas : Un dromadaire dans le désert, un moyen de locomotion au centre de la vie nomade, prépondérante dans le nord de l'Arabie.

Double page précédente : Un homme prie dans le désert.

Le Tigre. Le Croissant fertile, pris entre le Tigre et l'Euphrate, a été le berceau historique des premières grandes civilisations.

dans la solitude du désert. La première documentation écrite est une stèle découverte à Hégra, qui porte une datation correspondant à l'an 267 de notre ère ainsi que des inscriptions en nabatéen, araméen et thamoudéen.

Mouvements de populations. Pour bien comprendre le développement ethnique, linguistique et culturel de la Péninsule, il faut se représenter qu'à l'époque les peuplades arabes sont en perpétuel déplacement dans tout le territoire. Les populations de langue sémitique sont contraintes par la désertification progressive de la Péninsule à rechercher des implantations plus hospitalières aux marges extérieures du désert. Les premiers à quitter la Péninsule sont les Cananéens qui, vers 3000 avant notre ère, se

déplacent vers la côte orientale de la Méditerranée. Puis, vers le IIe millénaire avant notre ère, les Akkadiens l'abandonnent eux aussi pour s'établir en Mésopotamie, suivis par les Amorrhéens, qui s'implantent tout le long de l'arc du Croissant fertile, et enfin par les Araméens. Mais pendant des millénaires, la Péninsule accueille aussi des peuplades de langue sémitique venues des régions fertiles du Nord. Les pistes caravanières de grande importance commerciale qui la sillonnent attestent l'existence de flux de marchandises et de produits d'exportation dont l'acheminement requiert les moyens de transport adaptés

L'Égypte. Au cours des millénaires la langue et l'écriture de l'Égypte antique se sont profondément modifiées. L'écriture hiéroglyphique et la démotique sont utilisées jusqu'aux premiers siècles de notre ère, époque à laquelle le copte s'impose.

La Syrie et la Mésopotamie. Les langues dominantes dans ces pays sont de souche sémitique, les plus anciennes étant les langues akkadiennes, tels que l'assyrien et le babylonien. Les langues cananéennes regroupent l'hébreu biblique, le

phénicien et sa dérivation appelée punique. Au début de notre ère, la plupart des langues dominantes de cette région sont remplacées par d'autres, de même souche. Le phénicien est encore parlé dans les ports de Syrie et dans les colonies d'Afrique du Nord; l'hébreu

au désert, comme le dromadaire, domestiqué trois mille ans avant notre ère. Très rapidement les Arabes vont améliorer leurs techniques agricoles, commerciales et surtout militaires. Dès le début du premier millénaire avant notre ère, principalement dans les régions du Nord, des contingents arabes montés sur des dromadaires combattent aux côtés de différentes armées.

Une autre civilisation, née dans la vallée fluviale de la Mésopotamie, plus ancienne que l'égyptienne peut-être, n'a pas eu la même continuité d'État ni de société, ni même de langue. Dans la Bible cette région est nommée Aram Naharaïm, et ses habitants sont sumériens, akkadiens, assyriens et babyloniens.

Pendant les premiers siècles de notre ère, le centre et le sud de la Mésopotamie sont solidement tenus en main par les Perses, avec Ctésiphon pour capitale. La région septentrionale est revendiquée d'un côté par les Romains et les Perses, de l'autre par les dynasties locales. La Mésopotamie est parfois considérée comme faisant partie de la Syrie (nom qui apparaît pour la première fois en Grèce, sans aucun précédent attesté).

Après la conversion de l'empereur Constantin (311-317), la religion chrétienne est imposée dans tout l'Empire romain et s'accompagne de la progressive christianisation de

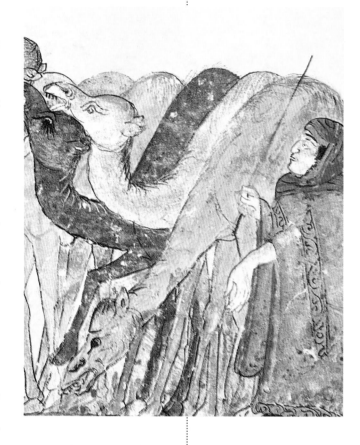

Troupeau de dromadaires (1237, détail). Miniature de l'artiste irakien al-Wasity. Bibliothèque nationale, Paris.

En bas : Détail d'un Coran en écriture coufique, entre le VIIIᵉ et le IXᵉ siècle. Biblioteca Ambrosiana, Milan.

est la langue du culte, de la littérature et de la science ; et l'araméen, langue du commerce et de la diplomatie, se répand dans tout le Croissant fertile, en Perse, en Égypte et dans la région qui correspond à l'actuelle Turquie méridionale.

La langue arabe. Au début de notre ère, elle est parlée surtout au centre et dans le nord de la péninsule Arabique. Une autre langue sémitique apparentée à l'éthiopien est répandue dans les régions sud-occidentales par des colons venus d'Arabie méridionale

jusque dans la corne de l'Afrique. La pénétration de populations de langue arabe dans le sud de l'Irak et de la Syrie diffuse cette langue dans toute la région. Avec l'expansion islamique du VIIᵉ siècle, la langue arabe se substitue pratiquement à l'araméen.

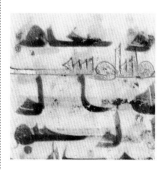

Tombes creusées dans la roche à Petra, l'antique capitale des Nabatéens, en Jordanie. La ville était un point de passage sur la route de l'Orient et de l'Arabie méridionale.

l'État. Autre événement d'importance : le déplacement de la capitale de l'Empire romain d'Occident en Orient, à Constantinople, où l'empire réussit à survivre pendant mille ans encore à la chute de Rome sous le choc des invasions barbares. C'est là que le processus d'hellénisation du Moyen-Orient – commencé au temps d'Alexandre le Grand et de ses successeurs en Syrie et en Égypte – est poursuivi par l'État romain et l'Église chrétienne. Le Moyen-Orient est aussi le champ de bataille de guerres incessantes entre les deux grandes puissances de l'époque : Perses et Byzantins. Les rivalités continuelles entre les deux peuples sont le trait dominant de l'histoire politique de la région jusqu'à la naissance du califat islamique. Ces conflits ne sont pas uniquement dus à des revendica-

tions territoriales : l'aspect économique, c'est-à-dire le contrôle des routes commerciales, est d'une extrême importance. La voie la plus directe de la Méditerranée à l'Extrême-Orient passe par des territoires sous contrôle perse. D'un intérêt capital pour Rome et plus tard pour Constantinople, le commerce de marchandises telles que la soie chinoise, les aromates et les épices des Indes et du Sud-Est asiatique est menacé par la position de l'Empire perse qui coupe les routes et rançonne les caravanes. C'est un motif de lutte permanente entre ces deux puissances, à tel point que toutes deux tentent d'inféoder plus ou moins les pays limitrophes.

Perses et Byzantins. Ardashir (226-240), fondateur de la dynastie des Sassanides, avait déjà mené une série de campagnes militaires contre Rome. Son successeur Shapur Ier (240-271) réussit, lui, à capturer l'empereur Valérien, qui meurt en prison.

Petra. Le premier contact politique entre les Romains et les peuplades du désert remonte à l'an 65 avant notre ère, date de la visite de Pompée à la ville de Petra, capitale des Nabatéens. Cette population probablement d'origine arabe est cependant araméenne par sa culture et son écriture. Petra est alors une halte caravanière très importante sur la route de l'Inde à l'Arabie méridionale ; par ailleurs, c'est aussi un "État-tampon" entre les provinces romaines et le désert.

En l'an 25 avant notre ère, l'empereur Auguste tente de conquérir le territoire correspondant à l'actuel Yémen pour mieux contrôler les côtes méridionales de la mer Rouge. Mais l'expédition tourne au désastre et convainc les Romains de renoncer pour toujours à pénétrer dans la péninsule Arabique. Ils se replient sur les villes caravanières et sur les petits États des abords du désert pour protéger leurs activités commerciales et pour s'assurer des bases stratégiques. Ainsi naissent et croissent nombre de cités et de royaumes frontaliers, les plus importants étant Petra, Palmyre, dans le désert syrien, et Hatra, dans le désert de l'Irak actuel, à quelques kilomètres au sud de l'antique Ninive, laquelle est soumise par Trajan après une tentative de rébellion.

À la veille de l'expansion de l'empire, l'immense territoire d'Arabie reste hors de contrôle. Il n'en est pas de même aux frontières où s'épanouissent de nombreux États ou des petites principautés, alliés ou protégés de l'Empire des Parthes à l'est et de l'Empire romain à l'ouest. Le changement de politique de Rome, qui passe d'une stratégie de bon voisinage à une stratégie d'annexion, touche les États de Palmyre et de Petra et modifie les rapports de pouvoir existant dans la région.

La situation évolue à nouveau après la conquête du pouvoir par les Sassanides en Perse. Ces derniers appliquent une politique agressive qui commence par la conquête

La zone archéologique de Palmyre, en Syrie.

En bas : Bas-relief montrant Zénobie, reine de Palmyre. Musée national, Damas.

Zénobie. Vers la fin du IIIᵉ siècle, la reine Zénobie tente de rétablir l'indépendance de Palmyre, mais sa tentative est écrasée par l'armée dépêchée par l'empereur Aurélien, et la cité redevient alors partie de l'Empire romain.

Détail d'un bas-relief rupestre de la période sassanide à Naqh-i-Roustam, dans la région du Fars (sud-ouest iranien). Ces bas-reliefs imposants célèbrent les gestes des souverains de la dynastie sassanide (224-651).

En bas : Image du désert syrien.

de plusieurs principautés aux frontières de l'Arabie du Nord-Est. Ils ne s'arrêtent pas là : vers la moitié du IIIᵉ siècle, ils rejoignent les côtes de l'Arabie orientale, compromettant les équilibres locaux, et détruisent Hatra, un territoire annexé par les Romains.

Du IVᵉ au VIᵉ siècle, la péninsule Arabique subit un appauvrissement généralisé. Les chroniques arabes relatent la crise économique qui sévit alors dans les cités et la recrudescence du nomadisme corrélative au déclin de l'agriculture et des implantations sédentaires. Cette crise n'est pas sans rapport avec les événements qui ont lieu aux confins du Nord. Pendant la grande période de paix entre Rome et la Perse (384-502), les longues et dispendieuses pistes caravanières du désert présentent moins d'intérêt. Nombre de villes créées aux abords des routes commerciales sont abandonnées, favorisant ainsi un retour au nomadisme.

La diminution du commerce et des échanges entraîne aussi une régression des modes de vie et du développement culturel. La crise a des retombées jusque dans les centres du sud de la péninsule Arabique, et de nombreuses tribus émigrent vers le Nord à la recherche de pâturages plus fertiles.

Au début du VIᵉ siècle, au moment de la reprise du conflit entre les Byzantins et les Perses, la région retombe dans un état de guerre endémique. La reprise des conflits profite à la péninsule Arabique qui retrouve un rôle important. Les Byzantins, qui se méfient des Perses, se mettent à la recherche de routes échappant au contrôle de leurs rivaux. De sorte que la route méridionale vers l'Inde présente désormais un nouvel attrait et prend une importance considérable.

La péninsule Arabique. C'est un haut plateau de steppes et de déserts entouré de montagnes. Au centre de la Péninsule s'étend le désert du Nafoud. La zone sud est appelée ar-Rub al-Khali, "le quart vide". À l'ouest, la chaîne du Hedjaz, "la barrière", était traversée autrefois par la route caravanière qui joignait la Méditerranée à l'océan Indien en passant par des villes comme La Mecque et Yathrib. Le Hedjaz sépare la bande côtière appelée Tihâma de l'immense haut plateau central, le Nedjd, la "terre

Les deux empires se disputent l'alliance des peuplades que l'espoir de profits a attirées le long de ces routes et on voit se reconstituer des principautés et des États frontaliers comme dans la période précédente.

C'est dans ce contexte qu'aux alentours de 527, les Byzantins suscitent un conflit entre les deux principautés arabes de Ghassan et de Hira, cette dernière vivant sous la protection de l'Empire perse, dans le dessein d'affaiblir les Sassanides. Comme cette manœuvre ne suffit pas à contrecarrer l'influence perse dans la région, ils tentent d'assujettir les États neutres pour s'assurer la suprématie et un monopole commercial sur toute la côte de la mer Rouge.

Dans la région la plus éloignée qui échappe encore à leur contrôle, les Byzantins provoquent un soulèvement de l'Éthiopie, État chrétien allié, contre les juifs du Yémen soutenus par les Perses. Les troupes éthiopiennes, converties depuis peu, attaquent la Péninsule par la mer ; elles réussissent à détruire les derniers États indépendants d'Arabie méridionale et à ouvrir le pays au christianisme. En 570, leur poussée vers le nord les amène jusqu'à La Mecque, importante étape commerciale et lieu de pèlerinage pour les Arabes. L'expédition est cependant un échec total qui permet aux Perses de reprendre le contrôle du Yémen.

Le temple de Hatra, en Irak. Durant les premiers siècles de notre ère en Mésopotamie, il existait des villes habitées par des populations d'origine arabe.

élevée". Au sud, une chaîne de hautes montagnes s'étend du Yémen au Golfe. Les climats ont favorisé le développement de l'agriculture et la production d'épices et d'encens, très appréciés par les civilisations du bassin méditerranéen.

Ghassan et Hira. Au nord-ouest du désert, à l'emplacement approximatif de la Jordanie actuelle, se trouvait Ghassan, sous la protection des Byzantins. Au nord-est, sous protection perse, prospérait Hira. Deux principautés arabes qui étaient de culture araméenne et de religion chrétienne.

Miniature d'al-Wasity, tirée des Maqamat (1237), transcription des récits de la tradition orale. Bibliothèque nationale, Paris.

Ces manœuvres militaires et ces déplacements de populations aux frontières de la péninsule Arabique auront des conséquences culturelles et religieuses déterminantes. La plupart des Arabes habitant les régions frontalières annexées par les Byzantins ou sous le contrôle des Perses sont chrétiens.

On trouve également d'autres implantations chrétiennes dans les régions du Sud, comme au Najran et au Yémen, où vivent aussi d'importantes communautés juives, originaires de Judée. Celles-ci sont principalement implantées au Yémen et dans de nombreux centres de la Péninsule.

Les communautés non arabes sont complètement arabisées. En revanche, peu d'Arabes adoptent la religion perse, le mazdéisme, pour toutes sortes de raisons, dont l'une semble être la dimension exclusive de celui-ci. Par ailleurs, un grand nombre d'individus sont appelés *Hanîf*, du terme arabe qui désigne ceux qui, rejetant le polythéisme, n'ont pas vraiment adopté une autre religion mais restent traditionnellement attachés à l'idée abrahamique du Dieu unique.

C'est grâce aux traces de la tradition orale antérieure au VIIIᵉ siècle que l'on dispose d'une assez bonne représentation de la structure de la société arabe. Elle est fondée sur les groupes de consanguinité : chaque membre s'identifie comme *banou*, "fils", descendant de la souche dont il porte le nom. Les relations entre membres de la tribu sont à dominante égalitaire sans pour autant exclure une certaine forme de hiérarchisation liée à la reconnaissance de la valeur personnelle et à la maîtrise de la parole. Au sein du conseil des Anciens, à qui reviennent les décisions, émerge la figure du

La tradition orale. Pour des motifs culturels, linguistiques et historiques, les docteurs de l'islam commencent à recueillir dès le VIIIᵉ siècle de notre ère les témoignages de la tradition littéraire antérieure et contemporaine de la Révélation. Il s'agit d'œuvres poétiques transmises oralement car si l'écriture est déjà connue elle est encore peu utilisée. La poésie favorise le travail de mémorisation grâce au rythme et à la rime. Cette poésie est un véritable "réceptacle" des coutumes et du mode de vie de ces sociétés : elle a une fonction de miroir pour des populations farouchement attachées à leur indépendance, et en même temps contraintes à une forte cohésion pour assurer leur subsistance et leur survie. Pendant les *samar*,

sayyed, "seigneur", élu pour ses qualités de noblesse, de courage, de charisme, et pour son aptitude à diriger les débats. En revanche, les droits du sang prévalent pour tout ce qui concerne la loi du talion, laquelle met en cause la solidarité directe des parents de l'offenseur et de l'offensé.

Les dures conditions de la vie dans le désert n'ont pas offert aux peuplades arabes une grande latitude en matière de choix artistiques. Si les formes les plus raffinées de l'art de la parole ont caractérisé leur culture, c'est certainement parce que cet art n'est dépendant ni d'outils ni de support matériel en général.

Par sa souplesse, la tradition orale permet de compenser les carences des autres pratiques artistiques. Cette souplesse lui permet de rendre les nuances des sentiments et d'évoquer l'instabilité du cadre de la vie quotidienne. En ces temps-là, la vie du bédouin est complètement conditionnée par son appartenance au milieu désertique et même son imagination et ses sentiments en portent la marque. L'expérience du désert est, en somme, un cadre formel de la sensibilité, constitutif de ce que l'on pourrait appeler l'inconscient collectif des bédouins. Comme la physionomie du désert est changeante et éphémère, l'art arabe a vocation à dire l'apparence des choses, leur métamorphose et la mobilité des perceptions.

Nomades dans le désert syrien : un campement de bédouins.
Le nomadisme n'autorisait qu'une seule forme d'art, celle de la parole.

longues veillées nocturnes, les poètes chantent les traditions, les généalogies, la gloire des tribus, de leurs chefs, de leurs nobles, comme les faiblesses de leurs adversaires et les méfaits véridiques ou présumés de leurs ennemis. Ces chants sont diffusés dans tout le désert par les rhapsodes *rawî* qui voyagent de tribu en tribu. La participation aux foires périodiques, comme celle de 'Oukâz près de Tä'if, dans le Hedjaz, la plus renommée, est aussi une occasion de diffuser la tradition. Ce patrimoine oral, dont la fixation écrite est contemporaine de la tradition islamique, reste un témoignage unique de l'histoire de ce peuple et de sa religion.

Mahomet, le Prophète

Selon la tradition, c'est dans une vallée désolée au sud de la terre de Canaan que le patriarche Abraham conduisit Agar et son fils Ismaël. Ici l'Ange annonça qu'Ismaël donnerait naissance à une grande nation. Et ici Agar vit surgir l'eau du sable. La vallée deviendrait un lieu d'étape pour les caravanes traversant le désert, car l'eau y serait douce et abondante. Le puits prit le nom de Zemzem.

Un jour Abraham rendit visite à son fils et Dieu lui montra avec précision le point près du puits où Ismaël et lui devaient édifier un sanctuaire. Il leur expliqua comment ils devaient le construire : le nom de l'édifice, dérivé de sa forme, serait *Kaaba*, "cube". Les quatre angles devraient être orientés aux quatre points cardinaux, et l'objet le plus saint, une pierre d'origine céleste et de couleur noire, devrait être enchâssé vers l'Orient. Le Grand Pèlerinage, institué par Abraham, devrait avoir lieu une fois par an ; mais d'autres, moins importants, pourraient avoir lieu à n'importe quel moment. Au cours des siècles, de toute l'Arabie, un nombre croissant de pèlerins allait affluer vers La Mecque.

Mais peu à peu, la pureté du culte du Dieu unique se perdit. Même le puits de Zemzem disparut et les membres d'une tribu originaire du Yémen, les Giurhum, en furent tenus responsables. Ils s'étaient assuré le contrôle de La Mecque et les descendants d'Abraham l'avaient toléré car une des épouses d'Ismaël appartenait à cette tribu. Mais les Giurhum commirent de telles iniquités qu'ils furent chassés de la ville. Avant de

L'ange. Dans le désert, Agar et le fils d'Abraham furent assaillis par la soif, et Agar, craignant pour la vie d'Ismaël, monta sur un rocher dans l'espoir de trouver du secours. N'apercevant rien, elle se précipita vers une autre hauteur, tout aussi vainement. Folle de terreur, la femme courut d'un point à l'autre sept fois de suite jusqu'à ce que, épuisée, elle finît par s'asseoir sur un rocher pour se reposer. Alors un ange lui apparut et lui ordonna de se relever et de prendre l'enfant dans ses bras. Il lui annonça que par la descendance d'Ismaël, Dieu donnerait naissance à une grande nation. Quand elle rouvrit les yeux, Agar vit une source jaillir du sable sous le talon de l'enfant.

Gravure populaire représentant la Kaaba. Un drap de brocart noir recouvre entièrement l'édifice. Les quatre angles sont placés aux quatre points cardinaux.

s'enfuir, ils comblèrent le puits avec une partie du trésor du sanctuaire et ils le dissimulèrent en le recouvrant de sable.

À leur tour, les Khouzaa, une tribu arabe de la descendance d'Ismaël, émigrée au Yémen, puis remontée au Nord, devinrent seigneurs de La Mecque. Ils ne tentèrent pas de retrouver le puits et introduisirent une idole syrienne, Houbal, au sein de la Kaaba.

Au IVᵉ siècle environ, un descendant d'Abraham du nom de Qousay, membre de la tribu arabe des Qouraychites, épousa la fille du chef des Khouzaa. À la mort de son beau-père, Qousay gouverna La Mecque et devint l'intendant de la Kaaba. Il eut quatre fils, dont le préféré de tous était Abdou Manaf. Pourtant, Qousay désigna son fils aîné, Abd ad-Dar, bien moins doué, pour lui succéder, provoquant ainsi des dissensions. Celles-ci explosèrent à la génération suivante, quand une partie des Qouraychites se rassembla autour du fils d'Abdou Manaf, Hachim, sans aucun doute l'homme le plus compétent de son époque. La violence étant strictement interdite, non seulement dans le sanctuaire mais aussi dans un rayon de plusieurs kilomètres autour de La Mecque, on en arriva à un compromis entre les deux factions : les fils d'Abdou Manaf conserveraient le droit de lever des impôts pour pourvoir à la nourriture et à la boisson des pèlerins,

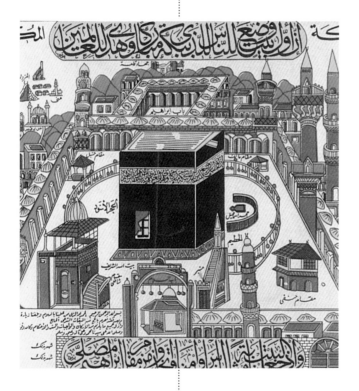

Hachim. Le fils d'Abdou Manaf avait un sens aigu du commerce : ce fut lui qui initia les deux grands voyages caravaniers mentionnés dans le Coran, celui d'hiver, vers le Yémen, et l'autre, vers les régions du nord-ouest de l'Arabie, jusqu'en Palestine et en Syrie.

Le pèlerinage. Une fois la construction de la Kaaba achevée, Dieu ordonna à Abraham d'instituer le rite du pèlerinage à La Mecque : "Purifie Ma Maison à l'intention de ceux qui en font le tour, et s'inclinent et se prosternent. Et proclame parmi les hommes l'appel au pèlerinage afin qu'ils puissent venir à toi, à pied ou sur quelque bête amaigrie, affluant de chaque profond défilé" (Coran XXII, v. 26-27).

et les fils d'Abd ad-Dar détiendraient les clefs de la Kaaba ainsi que d'autres droits.

Le long de la route des caravanes et à onze jours de chameau de La Mecque, se trouvait l'oasis de Yathrib, habitée par des tribus juives, mais gouvernée par une tribu arabe du Sud qui, très vite, se divisa en deux clans en conflit perpétuel : les Banou Aws et les Banou Khazradj. Hachim obtint la main de la femme la plus influente des Banou Khazradj. Elle lui donna un fils, Abd al-Moutalib, qui montra des talents de chef dès son plus jeune âge. De ce fait, à la mort de son oncle, le jeune homme fut jugé le plus digne de tous pour s'occuper du ravitaillement des pèlerins.

Abd al-Moutalib était respecté par les Qouraychites pour son courage, son intelligence, sa générosité, sa

Circumambulation des pèlerins autour de la Kaaba. Selon le Coran, c'est Dieu lui-même qui ordonna à Abraham d'instaurer le rite du pèlerinage à La Mecque, un des cinq piliers de la foi.

sagesse et son charisme. Il lui manquait pourtant une qualité, très importante dans la société arabe : des fils. Il pria Dieu de lui en envoyer, ajoutant un vœu à sa supplique : si Dieu le gratifiait de dix fils, il en sacrifierait un à la Kaaba.

Sa prière fut exaucée et quand tous ses fils furent adultes, il les rassembla et leur fit part de son pacte avec Dieu, les exhortant à l'aider à tenir sa promesse ; il les conduisit au sanctuaire où chacun d'eux lui donna une de ses flèches pour qu'elle soit tirée au sort.

Le puits de Zemzem.
Près de la partie nord-ouest de la Kaaba, se trouve un emplacement appelé Higr Isma'il, car sous ses pavés sont les tombes d'Ismaël et d'Agar. Une nuit, alors qu'Abd al-Moutalib dormait dans ce Higr, comme il aimait à le faire afin de rester plus proche de la Maison de Dieu, il reçut la vision d'une créature qui, après lui avoir donné toutes les indications pour le retrouver, lui ordonna de creuser le puits de Zemzem. Avec la découverte du puits, le trésor du sanctuaire enseveli fut récupéré. Grâce à son habileté et à son courage Abd al-Moutalib réussit à éviter un combat entre les clans. Ce qui valut au clan de Hachim d'être nommé gardien du puits.

Abd al-Moutalib chuchote à l'oreille de l'Éléphant. Miniature turque. Musée Topkapi, Istanbul.

En bas : Les éléphants sont miraculeusement arrêtés devant la Kaaba. Miniature turque. Musée Topkapi, Istanbul.

Ce fut celle du plus jeune et du plus aimé, Abd Allah, qui fut choisie. Mais les femmes de sa famille persuadèrent Abd al-Moutalib de consulter une devineresse dans sa ville natale de Yathrib. Celle-ci lui conseilla de tirer au sort entre la vie du jeune garçon et dix chameaux, prix du sang à La Mecque. À la dixième fois, la flèche tomba enfin vers les bêtes. Alors, à la place du jeune homme il sacrifia cent chameaux. Telle était la volonté de Dieu et Abd Allah fut sauvé. Son père décida de lui trouver une épouse. Une nièce de Qousay fut choisie, la belle Amina, fille de Wahab. Le mariage fut célébré en 569, l'année qui précéda celle connue sous le nom d'"année de l'Éléphant".

Naissance de Mahomet. En 570, Abd Allah s'était joint à une caravane pour aller faire du commerce en Palestine et en Syrie. Sur le chemin du retour, alors qu'il était à Yathrib dans la famille de sa grand-mère, il tomba malade. Il mourut en très peu de temps. À La Mecque, la douleur fut grande et la seule consolation du père d'Abd Allah et de son épouse Amina fut la naissance de son fils quelques semaines après sa mort. L'enfant, immédiatement présenté dans le sanctuaire et dans la Maison de Dieu pour une cérémonie de grâces, fut prénommé Mahomet.

L'année de l'Éléphant. En 570, le Yémen étant sous la domination abyssine, un chrétien abyssin du nom d'Abrahat al-Achram était vice-roi. Il ambitionnait de concurrencer la suprématie de La Mecque comme centre de pèlerinage, aussi fit-il édifier à Sanaa une somptueuse cathédrale, ce qui provoqua la colère des tribus arabes qui tentèrent de la profaner. Abrahat, rendu furieux par cette provocation, jura de raser la Kaaba en représailles. Il leva une armée, avec à sa tête un éléphant. Il ne fallut pas moins d'une intervention divine pour éviter la destruction de la Kaaba. Dieu envoya des nuées d'oiseaux qui jetèrent sur ses troupes des pierres exterminatrices, de sorte que l'armée d'Abrahat, défaite, dut prendre la fuite.

Si peu d'Arabes savaient lire, le désir des familles nobles était d'apprendre à leurs fils à parler un arabe parfait. L'éloquence et l'habileté à tenir des beaux discours étaient considérées comme une vertu et les mérites d'un homme étaient en grande partie reconnus à ses talents de poète. La tribu des Qouraychites, sédentarisée depuis peu, avait coutume de confier ses enfants à des nourrices bédouines. Le jeune Mahomet fut donc confié à une femme du nom de Halima qui l'allaita et l'éleva à l'air libre, dans la tradition du désert, afin qu'il bénéficiât de la liberté d'âme que celui-ci apporte. Ainsi vécut-il pendant trois ans. À l'âge de six ans, sa mère voulut l'emmener visiter ses parents de Yathrib mais, pendant le voyage, elle tomba malade et mourut en quelques jours. Son grand-père prit soin de l'orphelin, reversant sur lui tout l'amour qu'il avait eu pour son fils mort, le père de Mahomet. Mais il mourut à son tour deux ans plus tard. Mahomet fut alors confié à son oncle Abou Talib.

Comme celui-ci avait une nombreuse descendance et vivait pauvrement, son neveu se sentait obligé de contribuer à sa subsistance en menant paître les troupeaux de moutons et de chèvres dans les collines près de La Mecque où il vivait de longs moments de solitude. Mahomet fut autorisé très jeune à accompagner son oncle dans ses voyages. Quand il eut dix ans, à Bostra, en croisant des caravanes, ils rencontrèrent un moine chrétien du nom de Bahira, qui avait connaissance des prédictions d'anciens manuscrits concernant la venue d'un prophète parmi les Arabes. À peine vit-il l'enfant et eut-il observé ses traits que le moine comprit qu'il était bien en présence du prophète. Il en avertit l'oncle de Mahomet en lui enjoignant de garder le secret.

La naissance de Mahomet. Détail d'une miniature turque du XVIe siècle. Musée Topkapi, Istanbul.

La Purification. Un épisode très significatif de la vie de Mahomet nous décrit la purification de son esprit alors qu'il n'était âgé que de trois ans. Caché par les tentes du campement, Mahomet était en train de jouer avec son frère de lait quand apparurent deux hommes entièrement habillés de blanc qui portaient un bassin d'or rempli de neige. Ils s'emparèrent de l'enfant, le couchèrent sur la terre, lui ouvrirent la poitrine avant d'extraire son cœur de leurs mains. Ils y trouvèrent un petit grumeau noir qu'ils jetèrent. Ils lui lavèrent ensuite le cœur et la poitrine avec la neige et le laissèrent partir.

La nourrice, très alarmée par le récit du petit frère qui avait assisté à cette scène, décida de ramener Mahomet dans sa famille pour le protéger.

Le transport de la Pierre Noire dans la Kaaba reconstruite. Bibliothèque de l'université, Édimbourg.

À cause de sa pauvreté Mahomet resta longtemps célibataire, contrairement aux usages de la société arabe. L'habitude à l'époque étant de marier les cousins, le jeune homme avait demandé la main de sa cousine Oumm Hanî, mais en vain. Pour des raisons d'argent et d'alliances entre clans, elle fut donnée en mariage à un autre parent. Cependant parmi les marchands les plus riches de La Mecque, il y avait une femme, Khadidja bint Khouwaylid, du puissant clan des Assad et lointaine cousine des enfants de Hachim. À la mort de son deuxième mari, elle avait pris l'habitude d'engager des hommes pour s'occuper de ses affaires commerciales. Khadidja connaissait la réputation de Mahomet dans

la ville de La Mecque, où le qualificatif d'*al-amin*, "le fiable", "l'honnête", lui avait été donné, et elle décida de lui confier des marchandises et de l'envoyer en Syrie. À son retour, Mahomet se rendit chez elle avec les marchandises achetées grâce au produit des ventes. De quinze ans son aînée, Khadidja était très belle, et, attirée par le jeune homme, elle chargea une de ses amies d'arranger le mariage. Le jour des noces, Khadidja offrit à son époux un jeune esclave, Zayd ibn Harita, qui devint le fils adoptif de Mahomet. Pour aider son oncle, Mahomet fit venir auprès de lui son cousin Alî. Cette année-là, les Qouraychites décidèrent de reconstruire la Kaaba et de confier à Mahomet la responsabilité d'y placer la Pierre Noire.

Le jeune Mahomet. À vingt-cinq ans Mahomet était de stature moyenne, mince, avec de larges épaules. Sa barbe et ses cheveux étaient épais et noirs, légèrement ondulés, sa peau claire et son front haut ; ses yeux grands et allongés étaient bordés de très longs cils, noirs selon certaines descriptions, châtains selon d'autres.

Les enfants. Le mariage avec Khadidja fut heureux. Après un premier garçon, Qâsim, qui mourut avant d'avoir deux ans, naquirent quatre filles : Zaynab, Roqayya, Oumm Kolthoûm et Fâtima, suivies d'un second garçon, Abd Allah, qui mourut en bas âge.

La retraite. Mahomet aimait la solitude et il se retirait souvent pour méditer dans une grotte du mont Hira près de La Mecque. Dans sa quarantième année, alors qu'il était seul dans la grotte, pendant une nuit du mois qui sera appelé plus tard Ramadan, voué au jeûne et à la retraite spirituelle, un ange lui apparut et lui ordonna de lire le parchemin qu'il lui apportait. Épouvanté, Mahomet s'enfuit et rentra chez lui où il raconta l'événement à sa femme. Khadidja alla consulter son cousin Waraka ibn Nawfal, un Hanîf connaissant bien les écritures anciennes. Il lui annonça que son mari serait le Prophète de son peuple. L'affirmation de Waraka fut confirmée par d'autres preuves venues directement du Ciel sous forme de Révélations.

Encouragé par sa femme, Mahomet commença à parler de l'ange et des Révélations à ceux qui lui étaient les plus proches et les plus chers. Les premiers à accepter les règles de la nouvelle religion après Khadidja furent son cousin Alî, son fils adoptif Zayd et l'ami fidèle du Prophète, Abou Bakr al-Sâdiq, un homme aimé et respecté. Grâce à lui, beaucoup d'autres adoptèrent la nouvelle religion, et, à l'instar de Khadidja, il n'hésita pas à sacrifier toutes ses richesses à la cause de l'islam.

Bientôt le nombre des croyants, hommes et femmes, augmenta bien qu'aucun appel à se convertir à la nouvelle religion n'eût encore été rendu public.

Don d'une ville au Prophète. Miniature de Tabriz, XIVᵉ siècle. Musée Topkapi, Istanbul.

La reconstruction de la Kaaba.
Jusqu'au moment de sa reconstruction, la Kaaba n'avait pas de toit et ses murs culminaient à hauteur d'homme, ce qui en rendait l'accès aux étrangers beaucoup trop facile. La reconstruction fut l'occasion d'une grave discorde entre les Qouraychites, chaque clan revendiquant l'honneur de remettre la Pierre Noire à sa place. Mahomet trouva alors le moyen de résoudre leur dissension : il réclama un manteau, l'étendit sur le sol et posa la Pierre au milieu. Puis il fit se placer un membre de chaque clan aux coins du manteau et leur demanda de le soulever tous ensemble. Le manteau soulevé, il prit la Pierre entre ses mains et la remit lui-même en place. La construction put ainsi reprendre et la Kaaba être enfin achevée.

Fêtes chez des marchands arabes. Miniature du code d'Avicène. Biblioteca Ambrosiana, Milan.

Dans les premiers temps de l'islam, les compagnons du Prophète allaient toujours prier en groupe, avec discrétion, dans de petites vallées aux abords de La Mecque. Des idolâtres les surprirent et les agressèrent en les couvrant d'insultes. Mais les musulmans décidèrent de s'abstenir de recourir à la violence, aussi longtemps que Dieu n'en avait pas décidé autrement.

Après que Mahomet eut proclamé la nouvelle religion, les Qouraychites semblèrent disposés à la tolérer. Mais quand ils comprirent qu'elle était dirigée contre leurs dieux, leurs traditions et leurs principes, ils craignirent pour leurs activités commerciales et certains d'entre eux se rendirent chez Abou Talib pour lui demander de mettre un frein aux activités de son neveu. La pression des Qouraychites n'eut aucun effet sur le Prophète. Et ils se bornèrent à persécuter ceux des croyants qui ne bénéficiaient d'aucune protection.

Les origines de la communauté. Le nombre des croyants ne cessait d'augmenter, malgré l'hostilité croissante des Mecquois. Pour la première fois le Prophète lui-même fut agressé et insulté ouvertement par le pire ennemi de l'islam, Abou l-Hakam que, par mépris, les musulmans ont surnommé *Abou Djahl*, "père de l'ignorance". Le Prophète ne réagit pas, il se contenta de se lever et de rentrer chez lui. Hamza, un oncle du Prophète, ayant appris l'incident, se rendit dans le sanctuaire où Abou Djahl était assis avec

La Révélation. Quand l'ange apparut à Mahomet, son premier mot fut : "Lis !" À la réponse : "Je ne sais pas lire", l'exhortation fut répétée par deux fois : "Lis ! au nom de ton Seigneur qui créa ! créa l'homme d'une adhérence. Lis ! de par ton Seigneur, Lui qui enseigna par le calame, enseigna à l'homme ce que l'homme ne savait pas" (Coran XCVI, v. 1-5).

Les premiers croyants. Aux premiers convertis se joignirent deux jeunes cousins du Prophète : Dja'far et Zoubayr, suivis par d'autres. La Révélation d'un verset ordonna au Prophète de convertir son clan, mais rencontra peu de succès.

quelques Qouraychites. Il le frappa sur les épaules avec son arc, de toutes ses forces, en proclamant devant tous son adhésion à l'islam. Abou Djahl s'abstint de réagir, pour éviter le pire. Cette nouvelle victoire de Mahomet alarma les Qouraychites car la conversion de Hamza, guerrier très réputé, valait renfort et protection pour l'islam.

Après cet épisode, les Qouraychites décidèrent qu'il était urgent d'arrêter un mouvement qui menaçait leurs intérêts. L'un d'eux alla voir le Prophète. Il le trouva assis à l'écart des autres, près de la Kaaba. Mahomet se refusa à faire toute concession, repoussant les propositions alléchantes du visiteur. Bien au contraire, il continua à gagner l'adhésion de fidèles toujours plus influents, comme Othman ibn Affan, un riche et respectable membre du clan omeyyade des Abd Chams, et d'autres jeunes Qouraychites, qui vinrent renforcer la communauté.

Très vite, le Prophète se rendit compte que si lui-même était épargné, nombre de ses disciples étaient victimes de persécutions. Pour leur sécurité, il leur ordonna de se réfugier en Abyssinie, où ils reçurent un bon accueil. Il leur fut accordé une entière liberté de culte. Un groupe de quatre-vingts personnes donna ainsi naissance à la première émigration de l'islam.

Entre-temps, alors qu'une tentative de s'opposer à cette fuite en Abyssinie avait avorté, les musulmans restés à

Hamza frappe Abou Djahl qui a insulté le Prophète. Miniature persane (1030). Bibliothèque nationale, Paris.

Aws et Khazradj. À Yathrib, les deux tribus des Banou Aws et des Banou Khazradj, toujours en conflit, cherchaient à nouer des alliances avec l'une des tribus juives qui vivaient dans l'oasis. Mais ils ne rencontraient que méfiance : les juifs se montraient peu tolérants envers le polythéisme des Arabes. Quand les Arabes de Yathrib apprirent qu'un homme se proclamait Prophète à La Mecque, l'idée leur vint de faire alliance avec lui. Une délégation fut dépêchée par le chef des Banou Aws pour obtenir le soutien des Qouraychites contre les Banou Khazradj. En vain. Alors, le Prophète voulut leur offrir une chose plus précieuse que ce qu'ils venaient réclamer : il leur récita une partie du Coran, mais ils se montrèrent réticents à la conversion.

La Mecque étaient de plus en plus persécutés. Mais il advint que le neveu d'Abou Djahl, Omar ibn al-Khattab, qui jusque-là s'était montré l'un des plus farouches exécutants des instructions de son oncle contre les musulmans, se convertit à son tour à l'islam. En homme courageux, il n'hésita pas à prier publiquement devant la Kaaba et à exhorter les musulmans à se joindre à lui.

En 619, à l'âge de soixante-cinq ans, Khadidja mourut. Puis ce fut le tour d'Abou Talib,

Le Prophète pose les fondations de la première mosquée de l'islam à Kouba près de Médine. Miniature turque du XVIe siècle. Public Library, New York.

l'oncle du Prophète. La douleur de son âme en fut accrue et sa position affaiblie. La même année le Prophète épousa une veuve de trente ans, Sawdah, et, quelques mois plus tard, la fille d'Abou Bakr, la jeune et belle Aïcha, lui fut promise. En 620, au cours du pèlerinage, en un lieu appelé Akaba, près de Mina en direction de La Mecque, le Prophète rencontra six hommes de Yathrib, de la tribu des Banou Khazradj. Les six hommes décidèrent de se soumettre aux préceptes de l'islam.

Entre-temps, le quatrième et plus violent conflit entre Banou Aws et Banou Khazradj éclata dans la ville de Yathrib. Son issue indécise aboutit à une trêve temporaire. Les six Khazradjites qui avaient rencontré Mahomet à Akaba portèrent son message à leur clan. Pendant l'été 621, cinq d'entre eux firent à nouveau le

Les persécutions. La conversion d'Omar ne dissuada pas Abou Djahl de continuer ses persécutions contre les musulmans. Un édit fut proclamé, engageant les Qouraychites à s'abstenir d'épouser des femmes du clan de Hachim, de donner leurs filles en mariage à des Hachémites et de rien leur vendre ou leur acheter. Une quarantaine de chefs qouraychites apposèrent leur sceau sur cet accord – certains le firent sous la contrainte – et le document fut solennellement déposé dans la Kaaba. L'édit contre les musulmans resta en vigueur durant deux années sans se révéler pour autant d'une grande efficacité. Finalement il fut officiellement révoqué à l'initiative des chefs qui ne l'avaient jamais approuvé.

pèlerinage, emmenant avec eux sept autres hommes, dont deux de la tribu des Banou Aws. Ils conclurent alors un pacte avec le Prophète, resté célèbre sous le nom de "Première Akaba". Un an plus tard, soixante-treize hommes et deux femmes renouvelèrent ce pacte. Cela encouragea Mahomet à inciter ses disciples à émigrer vers Yathrib. Ses plus proches fidèles abandonnèrent la ville, sauf Abou Bakr et son cousin Alî.

Hijra, l'émigration. Comme les Qouraychites projetaient de perpétrer un attentat contre lui, le Prophète et Abou Bakr s'enfuirent de La Mecque. Après maintes difficultés ils rejoignirent l'oasis de Yathrib le 27 septembre 622. À son arrivée, Mahomet fut accueilli par une grande fête ; il ordonna immédiatement que l'on achète une cour intérieure pour la transformer en mosquée.

Le Prophète avait donné le titre de *Ansar*, "partisans", "auxiliaires", aux musulmans de Yathrib, tandis qu'à ceux de la tribu des Qouraychites et des autres tribus il attribua le titre de *Mouhajiroun*, "exilés", "émigrés". Les deux communautés se virent renforcées par une troisième : un traité d'alliance fut conclu par le Prophète entre ses disciples et les juifs de l'oasis, ils fonderaient une unique communauté de croyants, dans le respect des différentes religions. Ainsi l'islam s'établit-il solidement dans l'oasis, qui changea bientôt de nom et devint *al-Madinat al-Mounawara*, "la Ville Illuminée".

Quand la construction de la mosquée fut terminée, le Prophète y fit ajouter deux petites habitations sur le côté est, qu'il occupa avec ses filles et son épouse Sawda. On célébra ses noces avec la jeune Aïcha peu de temps après.

Zaynab, une des filles du Prophète, quitte La Mecque pour rejoindre son père à Médine. Miniature turque. Musée de l'art turco-islamique, Istanbul.

L'attentat. Les Qouraychites se mirent d'accord sur un plan suggéré par Abou Djahl pour assassiner le Prophète : chaque clan choisirait un jeune homme de confiance. Au moment convenu ils se jetteraient ensemble sur le Prophète pour lui porter un coup mortel. De cette façon, son sang retomberait sur tous les clans. Les conjurés se donnèrent rendez-vous à la tombée de la nuit près de la maison du Prophète. Mais Mahomet et son cousin Alî s'aperçurent à temps de leur présence. Mahomet demanda alors à Alî de s'allonger sur son lit en s'enveloppant dans son manteau vert pour tromper les agresseurs. À la faveur de la nuit et grâce à la protection divine, le Prophète parvint à s'échapper de sa maison et prit la fuite vers Yathrib avec Abou Bakr.

Le mirhab de la mosquée al-Azhar. Le mihrab, la niche qui montre la direction de la prière, était à l'origine tourné vers Jérusalem. Il fut dirigé vers La Mecque à la suite d'une Révélation qui eut lieu à Médine pendant le mois de Chaaban, en 624.

Les Révélations de cette période frappent par la prédominance des prescriptions juridiques : instauration du jeûne du Ramadan, obligation de l'aumône et distinction entre ce qui est interdit et ce qui est permis. Mais peu de temps après l'arrivée du Prophète à Médine, une Révélation liée au contexte historique accorda à l'islam l'autorisation de combattre. Désormais, la guerre contre les polythéistes de La Mecque était devenue inévitable. L'incident qui déchaîna la première bataille fut une attaque manquée contre une caravane mecquoise, mais nombreux étaient les autres motifs de conflit : le désir de vengeance, la confiscation des biens des émigrés au profit des Mecquois et la pression accrue des difficultés économiques dues à la croissance de la communauté, dont l'entretien était à la charge des auxiliaires. Le Prophète avança avec une armée composée d'environ trois cent cinquante auxiliaires et émigrés. Il se posta à Badr, à l'ouest de la route côtière qui va de la Syrie à La Mecque, en espérant prendre en embuscade la caravane d'Abou Soufyan, chef des Ommeyades, alliés des Qouraychites. Mais celui-ci déjoua le piège en passant par une route détournée tandis qu'une armée de Qouraychites était dépêchée à son secours.

Le 17 mars 623, les Qouraychites, forts d'une armée de mille hommes, affrontèrent les musulmans. Ce fut un combat très violent, et les Qouraychites perdirent quelques-uns de leurs meilleurs cavaliers et de leurs chefs de clans. Mis en déroute, ils se replièrent vers La Mecque. Après cette bataille il y eut encore deux autres conflits entre musulmans et Qouraychites. Vainqueurs dans un premier temps en 625, ces derniers perdirent en 627 l'attaque décisive contre Médine.

Les batailles. Pendant les deux années qui suivirent la bataille de Badr, les Mecquois subirent les conséquences de la coupure des pistes caravanières qui longeaient la mer Rouge. À la suite de l'attaque d'une importante caravane mecquoise en route pour l'Irak, une précieuse cargaison d'argent et de marchandises variées fut détournée. Ce fut un véritable désastre, qui détermina les Qouraychites à accélérer les préparatifs de guerre amorcés dès la défaite de Badr. Le combat, qui eut lieu à Ouhoud, au nord de Médine, fut une cuisante défaite pour les musulmans et se termina par un massacre. De nombreux parents et compagnons du Prophète périrent mais, malgré ce coup terrible porté à la communauté, la détermination de Mahomet

L'année suivante le Prophète décida de se rendre en pèlerinage à La Mecque avec ses fidèles. L'ayant appris, les Qouraychites convoquèrent le conseil de l'Assemblée. Bien que le mois sacré fût commencé, ils envoyèrent deux cents cavaliers couper la route aux pèlerins. Ceux-ci réussirent à éviter la bataille en choisissant de changer de parcours et de joindre le col qui conduit à Houdaybiya, un plateau situé en dessous de La Mecque, aux confins du territoire sacré.

Désireux de résoudre cette situation délicate, les Qouraychites envoyèrent un de leurs hommes, Souhaylbin Amir, connu pour son habileté et sa grande intelligence politique. La négociation aboutit à la signature d'un pacte qui instaura un armistice de dix ans; mais pour un an le Prophète et ses fidèles renonceraient à entrer dans La Mecque contre la volonté des Mecquois et en leur présence. Toutefois, quiconque exprimerait le désir de se rallier au Prophète devrait être libre de le faire. L'année suivante les polythéistes devraient sortir de La Mecque pendant trois jours afin que le Prophète et ses disciples puissent accomplir le pèlerinage en dehors de leur présence. Un an après, en vertu du traité, près de deux mille fidèles accomplirent le rite du pèlerinage dans une ville désertée par ses habitants. Quelque temps plus tard, vers 630, un raid nocturne des

La bataille de Badr (624) entre les partisans du Prophète et les idolâtres de La Mecque. Musée Topkapi, Istanbul.

En bas : Guerriers médinois. Détail d'une miniature turque du XVIIIe siècle. Musée de l'art turco-islamique, Istanbul.

ne fléchit pas. En 627, les Qouraychites décidèrent de lancer une attaque décisive contre Médine et, avec l'aide de leurs alliés, ils levèrent une armée de près de quatre mille hommes. Mais le siège échoua et l'armée qouraychite dut se retirer.

L'armée de Zayd ibn Harita. Trois mois après le succès du pèlerinage, le Prophète envoya une ambassade de quinze hommes à une tribu arabe aux confins de la Syrie. Tous furent massacrés à l'exception d'un seul. Mahomet recruta alors

une armée dont il confia le commandement à Zayd, son fils adoptif. Son armée dut faire face à une coalition de tribus du Nord et de troupes byzantines ralliées. Les troupes musulmanes se replièrent au sud, à Mouta. La bataille fut perdue.

33

Mahomet est l'hôte de moines chrétiens pendant un voyage en Syrie. Miniature turque du XVIᵉ siècle. Musée de l'art turco-islamique, Istanbul.

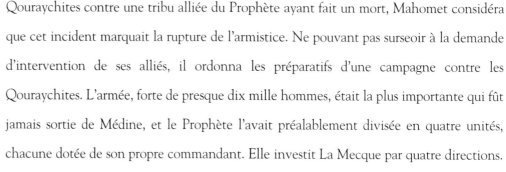

Qouraychites contre une tribu alliée du Prophète ayant fait un mort, Mahomet considéra que cet incident marquait la rupture de l'armistice. Ne pouvant pas surseoir à la demande d'intervention de ses alliés, il ordonna les préparatifs d'une campagne contre les Qouraychites. L'armée, forte de presque dix mille hommes, était la plus importante qui fût jamais sortie de Médine, et le Prophète l'avait préalablement divisée en quatre unités, chacune dotée de son propre commandant. Elle investit La Mecque par quatre directions.

Mahomet tint à marquer la victoire sur sa ville natale par une entrée solennelle : il prit la tête du cortège et se dirigea d'abord vers la Kaaba, puis au puits de Zemzem pour y boire. Enfin il retourna à la Kaaba où il donna l'ordre d'effacer toutes les peintures et de détruire toutes les idoles.

Après la victoire sur La Mecque, le Prophète revint à Médine et commença à recevoir des délégations en provenance de toutes les régions de l'Arabie, mais aussi des ambassades des juifs et des chrétiens du Yémen et de Najran. Le Prophète leur rappela que les règles de l'islam imposaient de respecter les messagers chargés de lever les impôts auxquels étaient assujettis les musulmans, les chrétiens et les juifs, et il ajouta que tous bénéficieraient de la protection de Dieu et de l'État islamique pour eux-mêmes, leurs biens et leurs sanctuaires.

Les imposteurs. Dans une tribu chrétienne de Yamamah récemment convertie à l'islam, un homme du nom de Mousaylimah prétendait être lui aussi un prophète. Il envoya une missive à Mahomet pour lui proposer un partage du pouvoir.

Mahomet lui fit répondre que le pouvoir n'appartient qu'à Dieu comme la terre n'appartient qu'à Lui. Après un succès momentané, l'imposteur finit assassiné par ses propres disciples.

L'année suivante, le Prophète sortit de Médine à la tête de plus de trente mille hommes et femmes pour conduire le pèlerinage. Il en établit définitivement le rite selon les anciennes règles abrahamiques et prononça un sermon qui se terminait par la question : "Ô hommes, vous ai-je transmis fidèlement mon message ?" Recevant une réponse affirmative, il leva le doigt vers le ciel et dit : "Ô Dieu, sois témoin !" À la fin du pèlerinage, le Prophète regagna Médine où il dut peu après affronter d'autres dangers de moindre gravité pour l'islam, en la personne d'imposteurs qui se prétendaient eux-mêmes prophètes.

La mort du Prophète. Un jour, alors que Mahomet se préparait à aller prier, sa tête le fit souffrir comme jamais auparavant. Le lendemain, le 8 juin 632, il se rendit à la mosquée. La prière avait commencé, et Abou Bakr, qui la dirigeait, voulut lui céder la place, mais il lui fit signe de continuer en lui disant : "Dirige la prière !" Revenu auprès d'Aïcha, il s'étendit sur sa couche, la tête sur la poitrine de son épouse. Elle l'entendit prononcer ses mots : "Ô Dieu, au Paradis avec la Présence suprême." Sa tête se fit plus lourde, Aïcha l'appuya sur un coussin et se mit à pleurer avec les autres épouses.

Les musulmans devaient décider rapidement qui assumerait l'autorité sur la communauté. Abou Bakr avait été le compagnon le plus proche du Prophète et avait dirigé la prière quand celui-ci était encore en vie. Devant la communauté des fidèles réunis, Omar prit la main d'Abou Bakr et lui jura fidélité, imité par tous ceux qui étaient présents. Dans Médine la douleur fut grande et les habitants vinrent en foule pour rendre un dernier hommage au Prophète et prier pour lui.

La tombe de Mahomet à Médine. Céramique turque du XVIIIe siècle. Musée de l'art turco-islamique, Istanbul.

L'incrédulité d'Omar. D'un verset du Coran, mal interprété, Omar déduisit que le Prophète leur survivrait. Il se rendit à la mosquée pour proclamer que Mahomet s'était retiré dans l'Esprit et qu'il réapparaîtrait bientôt parmi eux.

Abou Bakr. À la mort du Prophète, Abou Bakr était absent. Mais il revint précipitamment et prit la situation en main avec décision. Il tint dans la mosquée un discours qui dessilla les yeux de la foule. Après avoir loué Dieu, il déclara avec autorité :

"Ô peuple, quiconque adorait Mahomet, qu'il sache que Mahomet est vraiment mort. Quiconque adorait Dieu, qu'il sache en vérité que Dieu est vivant et ne meurt jamais !"

L'État islamique

À la mort de Mahomet, diverses langues sont parlées dans la région qui correspond au Moyen-Orient actuel ; on y professe des religions différentes et l'autorité y est partagée entre plusieurs souverains. En très peu de temps, la puissance émergeante, armée d'une foi nouvelle, vient renverser tous les équilibres politiques et militaires établis. L'islam devient la religion d'État. L'arabe, la langue du Coran, est imposée par la conquête militaire, mais ne devient la langue officielle que beaucoup plus tard. L'État islamique fondé par le Prophète connaît une période faste sous le règne des quatre *al-Khoulafâ' ar-Râchidoun*, "les califes bien guidés", vicaires, successeurs ou lieutenants du Prophète.

Le premier et lourd devoir qui revient à Abou Bakr est la défense de l'unité de l'État et de celle de l'islam, menacées par la *riddah*, la "sécession" des tribus qui refusent de payer le tribut à Médine, et par les troubles causés par les faux prophètes. Abou Bakr réagit avec fermeté et, en 633, le mouvement sécessionniste est écrasé. Les forces arabes sont prêtes à affronter le désert pour porter leur foi aux civilisations plus développées de Mésopotamie et d'Asie. En 636, sur ordre du calife, les troupes musulmanes pénètrent en Palestine et en Transjordanie. En même temps, d'autres troupes attaquent Hira, l'antique résidence des Lakhmides sur l'Euphrate, en Mésopotamie ; et les populations, en majorité chrétiennes de langue araméenne, depuis longtemps sous domination perse, passent sous le nouvel État islamique.

Page de gauche : Mosaïques dans les bains du palais omeyyade de Khirbat al-Mafyar, Palestine (VIIIᵉ siècle).

En bas : Abou Bakr, premier calife après la mort de Mahomet et premier des quatre appelés "les bien guidés". Détail d'une miniature turque. Musée Topkapi, Istanbul.

Au-delà du désert. À l'origine, du fait de l'appauvrissement progressif du sol de la péninsule Arabique, l'expansion arabe a été engendrée par le désir de s'emparer de nouveaux territoires et de ressources vitales. Exaltés par la force de conviction religieuse apportée par le Prophète et par l'orgueil qu'ils ressentent d'être les dépositaires d'une croyance puissante et unificatrice, les Arabes ne craignent pas de s'affronter aux armées byzantines et perses, pourtant bien mieux préparées et équipées.

Détail d'un minaret sculpté avec des inscriptions en caractères coufiques. Sâveh, Iran. Avec la naissance de l'État islamique se développe une architecture qui va utiliser la calligraphie comme élément ornemental, et en particulier la calligraphie coufique.

Toujours sur l'ordre du calife, le commandant Khalid ibn al-Walid, que le Prophète avait surnommé *Sayfou l-Lah*, "le glaive de l'islam", quitte l'Irak afin de prêter main forte aux troupes en difficulté en Syrie et entame à travers le désert une marche qui restera légendaire. Après une série de succès rapides, les musulmans font leur entrée à Damas en 635. En août 636, sur le Yarmouk, un affluent du Jourdain au sud de Tibériade, a lieu la bataille décisive contre les troupes d'Héraclius. Cette victoire remet définitivement la Syrie entre les mains des musulmans. La capitulation de Jérusalem suivra en 636, ainsi que celle de Césarée, dernier bastion des Byzantins, en 638.

En 634 commencent les dix ans du califat d'Omar ibn al-Khattab, décisifs pour la formation de l'État islamique et pour la mémoire collective de l'islam orthodoxe.

Aux succès des musulmans contre la Syrie s'ajoutent les victoires sur la Perse. En 636, après trois jours de combats acharnés, les musulmans remportent la bataille de Qadissiya, en Irak méridional. Elle leur ouvre la route vers la capitale Ctésiphon. Le dernier souverain sassanide, Yazdgard III, est à nouveau défait à Djalawla et encore à Nevahend, près de Hamadan, en 641. Les villes et les forteresses du haut plateau iranien tombent les unes après les autres. Mais il faudra presque dix ans avant que les Arabes s'assurent le contrôle de la région.

Omar ibn al-Khattab. Désigné par Abou Bakr mourant, Omar est nommé calife avec l'accord de la majorité des compagnons, et il peut gouverner sans rencontrer d'opposition. Pendant son califat il réussit non seulement à consolider l'unité de l'empire mais aussi à poser les bases d'une administration d'État bien organisée et efficace. C'est à Omar que l'on attribue le choix de la datation du début de l'Hégire.

La diffusion de l'islam. À la suite de la conquête arabe, les Perses trouvèrent dans l'islam un élément de cohésion nouveau et apportèrent une importante contribution à la diffusion de la foi auprès des populations de l'Asie centrale.

38

À la fin de l'année 639, sur ordre d'Omar, quelques milliers de cavaliers arabes traversent les frontières égyptiennes. La résistance byzantine est faible. Alexandrie se soumet et la population de religion chrétienne et de langue copte, sous domination byzantine depuis des siècles, passe sous celle de l'islam en 645.

L'État islamique étend à ses nouveaux sujets la tolérance religieuse prévue par la Loi et les pactes établis entre le Prophète et les *Ahl al-Kitâb*, les "Gens du Livre" des deux autres religions monothéistes. La sécurité, la liberté de culte et le droit à une protection sont garantis aux chrétiens et aux juifs en échange du paiement d'un impôt de capitation, la *djizya*, et d'une taxe foncière, le *kharâdj*. Les musulmans, eux, ne sont tributaires à l'État que de "l'aumône légale", la *zakat*.

Omar ne désigne pas nommément son successeur, il se contente de nommer un *choura*, conseil composé de six compagnons du Prophète parmi les plus anciens, au sein duquel il faudra choisir le nouveau calife. C'est Othman ibn 'Affan, le gendre du Prophète, du clan des Omeyyades, et premier membre de l'aristocratie mecquoise à avoir adhéré à l'islam, qui lui succède.

Pendant les douze ans du califat d'Othman (644-656), l'expansion est continue. La Perse et l'Arménie sont entièrement soumises, tandis qu'en Afrique du Nord les armées arabes poussent jusqu'à Tripoli et la Tunisie

La salle du palais omeyyade de Khirbat al-Mafyar, Palestine (VIIIe siècle). L'édifice, en grande partie détruit, représente un important témoignage architectural de l'époque. Les palais et les mosquées ont de grandes cours intérieures d'inspiration byzantine.

Les tributs. À part "l'aumône légale" due à l'État, les musulmans sont exemptés de l'impôt dont le poids pèse entièrement sur les populations assujetties. Par la suite, pour lever les tributs dans les pays conquis et payer la solde des armées, il faudra créer des appareils administratifs et financiers complexes fondés sur des registres ou "listes de combattants", le *diwan*. L'organisation sera dirigée par un *'amil*, un fonctionnaire qui assumera cette charge à côté du gouverneur politique et militaire, le *wali*.

Les tributs perçus par le nouvel État seront versés au *baitou l-mal*, le "trésor public" de Médine que le calife administrera personnellement.

La grande mosquée des Omeyyades à Damas (707-714).

actuelle. Mais le népotisme effréné d'Othman et sa mainmise sur les contributions levées à l'étranger soulèvent l'opposition des clans. La révolte se répand dans les provinces et, depuis l'Irak et l'Égypte, des groupes séditieux marchent sur Médine. Othman est finalement assassiné.

Les guerres civiles. La porte du califat s'ouvre enfin à Alî, le cousin de Mahomet. Mais il doit d'abord combattre l'opposition menée par Aïcha, la veuve du Prophète, puis par Mouawiya ibn Abou Soufyan, gouverneur de Syrie, qui veut obtenir réparation de la mort d'Othman et s'emparer du califat. C'est au sein même de l'armée d'Alî que se développe le schisme politico-religieux des kharidjites. Ces cinq années d'un règne agité se concluent tragiquement par l'assassinat d'Alî en 661, sans qu'il ait pu gouverner en paix. Un groupe des partisans d'Alî développera le "parti d'Alî" ou *chî'at Alî*, connu plus tard sous le nom de *chî'a* et dont les adeptes s'appellent les *chiites*.

Après la mort d'Alî, son fils aîné Hassan abandonne ses prétentions au califat au profit de Mouawiya, déjà proclamé calife en Syrie. Avec la dynastie des Omeyyades s'ouvre une phase de l'histoire de l'islam où l'élément

Les Omeyyades. Le manque d'autorité d'Othman ne lui permet pas de résister à la pression de ses nobles cousins omeyyades, avides de s'emparer du pouvoir. L'un d'eux, Mouawiya, fils d'Abou Soufyan, conquiert Chypre (649) et arrive jusqu'en Sicile. En 655 a lieu la première bataille navale, le long des côtes de Lycie, entre la flotte byzantine et la toute nouvelle flotte arabe de Mouawiya. La victoire des musulmans préfigure leur hégémonie sur la Méditerranée.

L'édition définitive du Coran. Un des principaux mérites d'Othman, successeur d'Omar, est d'avoir imposé la recension canonique du Coran (650).

religieux perd sa prépondérance et où la question du pouvoir devient dynastique. Le règne omeyyade, dont la domination s'étendra de l'Inde à l'Espagne, rencontre la résistance morale et militaire des kharidjites, qui s'étaient déjà opposés au règne d'Alî, et des chiites. Ceux-ci revendiquent l'appartenance à l'imamat, équivalent du califat, qui revient de droit divin aux descendants de la famille du Prophète. C'est le début de la deuxième guerre civile, qui aura une grande importance religieuse. Hussein, fils cadet d'Alî et petit-fils du Prophète, est porté à la tête de la révolte qui éclate en Irak. Il est exterminé avec ses partisans par les Omeyyades à la bataille de Kerbala, en octobre 680. Seul son jeune fils en réchappe. C'est à la suite de ce massacre que le parti chiite – mouvement politique à l'origine – trouve sa dimension religieuse. Au cours des rébellions, La Mecque n'est pas épargnée, elle est assiégée, prise d'assaut et incendiée.

Unité de l'empire. En 685, accède au trône Abd al-Malik ibn Marwan, issu d'une autre branche des Omeyyades. Il va rétablir l'unité de l'empire. On lui doit, ainsi qu'à son successeur Hichâm, la fondation de l'organisation impériale et l'intronisation de la langue arabe en tant que langue officielle de l'administration, à la place du grec et du pahlavi. Abd al-Malik fait frapper une monnaie d'or ornée d'une légende arabe.

En 711, sous le règne de Walid (675-715), les troupes arabes franchissent le détroit du djébel-Tariq (Gibraltar) et entreprennent la conquête de l'Espagne. En 704, lors de la tentative d'invasion de la Transoxiane, à partir de l'Irak du Nord-Est, l'armée de Walid est arrêtée à Samarkand puis à Boukhara par les Turcs. C'est à cette époque que

Abd al-Malik ibn Marwan. Sous son califat commence la construction d'édifices religieux monumentaux, symboles du message universel de l'islam, comme le Dôme du Rocher et la mosquée al-Aqsa édifiés en 692 sur le Mont du Temple à Jérusalem.

La chambre du trésor dans la cour de la grande mosquée des Omeyyades à Damas. La construction de forme octogonale soutenue par des colonnes est décorée de mosaïques.

En bas : Le Dôme du Rocher à Jérusalem.

La cour intérieure du palais fortifié de Oukhaydir Irak. Il fut construit en 778, non loin de Bagdad, par Isa ibn Moussa, neveu d'al-Mansour.

les Arabes pénètrent pour la première fois en territoire indien par la Perse méridionale. Un des derniers grands Omeyyades est Omar II (717-720), le pieux calife, connu pour sa profonde religiosité et son sens scrupuleux de la justice.

En Orient, à la faveur des révoltes des cousins descendants d'Alî, les Hachémites avaient comploté pour faire valoir leurs droits. Profitant des nouvelles rébellions contre le pouvoir omeyyade, Abou al-Abbas, un descendant d'Abbas, oncle du Prophète, se proclame calife. Les Omeyyades et leurs partisans sont massacrés. Le seul survivant de la dynastie, courageux et déterminé, réussit à gagner l'Espagne et à y faire renaître le règne omeyyade. Le centre du pouvoir est transféré de la Syrie, plus proche de la Méditerranée

et de l'Afrique du Nord, à l'Irak, centre de gravité des grands empires cosmopolites de l'ancien Moyen-Orient. Abou Dja'far al-Mansour (754-775), qui succède à son frère Abou al-Abbas, sera le véritable fondateur de la dynastie des Abbassides. Il jette les bases d'une première métropole islamique, Bagdad, sur la rive occidentale du Tigre, près de Ctésiphon.

Le gouvernement de l'administration provinciale est confié à un *amir*, qui y exerce le commandement militaire, la charge des services financiers et fiscaux revenant à l'*amil*. À Bagdad chaque province a son *diwan*, "registre". La délégation au gouverneur de la conduite de

Les Abbassides.
Pendant le califat abbasside, qui commence avec Abou al-Abbas, le privilège de faire partie de la cour n'est plus réservé aux Arabes, mais étendu aux Persans et à d'autres populations. À la monarchie patriarcale du pouvoir politico-religieux succède une monarchie absolue. L'usage de la langue arabe est imposé dans la vie culturelle et administrative, et la culture artistique et scientifique est à son apogée. Les terres possédées par les Arabes bénéficent de privilèges fiscaux. Les Abbassides ne font pas seulement alliance avec les familles nobles, ils choisissent aussi pour épouses des concubines et des esclaves de toutes les origines. Cette pratique contribuera à la disparition de la distinction entre Arabes et non-Arabes.

la prière du vendredi contribue à renforcer sa position de chef de la communauté islamique de la région. Ce mandat des pouvoirs politico-religieux et militaire contribuera à la décadence du pouvoir central. Conformément aux normes de la *chari'a*, la "Loi islamique", le pouvoir judiciaire est exercé par les, *cadis* nommés directement par le calife. Il est possible de s'en appeler à lui dans tous les cas d'abus de pouvoir et d'injustice. Le maintien de l'ordre est confié à la *chourta*, une police à recrutement local.

C'est sous le règne des Abbassides que débute la lente dégradation de l'empire. À la suite de l'Espagne et des régions les plus éloignées du Maghreb, qui avaient acquis leur indépendance dès le VIIIe siècle, d'autres provinces périphériques se détachent du pouvoir central, en Orient comme en Occident.

L'entreprise d'iranisation commencée avec al-Mansour se renforce avec son fils al-Mahdi (755-785), cependant que les pouvoirs de la cour califale et de l'appareil religieux des théologiens et des docteurs de la Loi tendent à s'interpénétrer. Le calife, ferme et pur dans sa défense de l'islam, réprime durement le Manichéisme.

L'âge d'or de l'Empire islamique s'identifie avec le long règne de Haroun al-Rachid (786-809). Cette époque, qui commence avec al-Mansour, est une période de bien-être et de paix sociale, grâce notamment à la compétence des *wasir* iraniens, les Barmakides, pour

L'arc orné de mosaïques du mirhab *de Hakam II, dans la grande mosquée de Cordoue (785-961).*

En bas : détail d'une peinture sur un coffret islamique en ivoire (XIIe-XIIIe siècles). Museo del Bargello, Florence.

Abou Dja'far al-Mansour. Sous le califat d'al-Mansour et de ses successeurs, l'importante fonction de *wasir* est exercée par la famille persane des Barmakides. Dès lors le cérémonial de la cour va être marqué par cette influence iranienne. Sur le modèle perse une armée permanente est créée. Les soldats qui la composent sont régulièrement inscrits sur les registres, les *diwan*, et reçoivent une solde mensuelle. Le calife peut ainsi se rendre beaucoup moins dépendant des tribus arabes.

L'édifice de la fontaine rituelle au centre de la cour de la mosquée Ibn Touloun à Foustat en Égypte, construite en 876-879. À gauche, le minaret.

la gestion de l'administration fiscale, politique et économique. Cependant, leur puissance est jugée excessive par al-Rachid, qui leur reproche d'avoir indûment augmenté le patrimoine familial et dilapidé les richesses de l'État. Après la chute tragique des Barmakides en 802, l'administration des provinces, confiée à un calife peu compétent, subit un préjudice considérable. C'est à cette époque que se manifestent des phénomènes de déclin et d'affaiblissement de l'empire, avec des soulèvements religieux en Orient et le détachement de régions entières en Occident.

Le calife al-Rachid choisit pour héritier son fils aîné al-Amin, qu'il a eu d'une épouse noble d'origine arabe. Il confie le gouvernement du Khûrâsan et des régions orientales à un autre de ses fils, al-Mamoun, qu'il a eu d'une esclave persane. Il le nomme en outre successeur de son frère. Mais al-Amin, le nouveau calife, n'a aucune intention de respecter la volonté de son père. C'est l'origine d'une lutte sanglante. En 813, Bagdad, la capitale, se rend après un très long siège. Al-Mamoun prend le titre de calife mais il juge plus prudent de rester longtemps dans les provinces orientales, avant de regagner la capitale.

La volonté d'indépendance des provinces perses provoque la formation de petites principautés locales juste

Haroun al-Rachid.
C'est le célèbre calife réputé pour sa magnanimité et son sens de la justice qui a inspiré le personnage légendaire des contes des *Mille et Une Nuits*. Son prestige sera reconnu par les plus grands souverains, depuis l'empereur de Chine jusqu'à Charlemagne, avec lesquels il échangeait des ambassades et des cadeaux. À l'intérieur de son royaume, il renforça le caractère sacré de son autorité de commandeur des croyants en conduisant personnellement la prière du vendredi dans sa capitale et en alternant pèlerinages à La Mecque et *djihad*, la guerre contre les infidèles.

après la confirmation de Bagdad comme capitale de l'empire. En 820, un général d'origine iranienne, nommé gouverneur dans la région du Khûrâsan par al-Mamoun, obtient l'indépendance et fonde une dynastie autonome. D'autres régions l'imiteront.

La renommée du calife al-Mamoun est très liée au soutien qu'il accorde aux recherches philosophiques, scientifiques et médicales, et à la création de la *Bayt al-hikma*, "Maison de la sagesse", centre de traductions du grec et du syriaque.

Son frère al-Mou'tasim lui succède (833-847). C'est à lui que l'on attribue l'introduction dans l'armée d'officiers et de soldats turcs venant des provinces de l'Asie centrale. Mais les continuels désordres que ses soldats provoquent obligent le calife à transférer sa cour et sa garde turque à Samarra, une ville impériale militaire à cent cinquante kilomètres au nord de Bagdad, qui sera la nouvelle capitale du califat jusqu'en 892, quand un des successeurs d'al-Mou'tasim décidera de revenir à Bagdad.

L'énergique al-Moutawakkil (847-861) rétablit l'autorité califale : il combat le pouvoir de la garde turque devenue incontrôlable, il interdit la doctrine moutasilite et restaure une orthodoxie stricte avec l'appui de la population civile et des théologiens; mais ces mesures ne vont pas suffire. En 861, il est assassiné par la garde turque. Pendant neuf ans la capitale est livrée à l'anarchie la plus complète. En 870, al-Mou'tamid est élu calife, mais, en raison de son jeune âge, placé sous la tutelle de son frère Talhah al-Mouwaffaq qui, en vingt ans de gouvernement, saura rétablir une partie de l'autorité perdue.

L'État de type agraire et militaire est devenu rapidement un empire cosmopolite aux activités commerciales et industrielles prospères et avec une forte concentration de

Le minaret en spirale de la grande mosquée de Samarra (842-852) au nord de Bagdad. C'est le calife al-Moutawakkil qui fonde la ville militaire de Samarra pour accueillir sa grande armée.

En bas : L'imam dans la mosquée, miniature d'al-Wasity (1237). Bibliothèque nationale, Paris.

Al-Mamoun. Le calife al-Mamoun, qui avait adhéré à l'école théologique moutasilite, tentera de l'imposer comme doctrine officielle de l'État. Par le privilège qu'ils donnent à la pensée rationnelle sur l'imitation de la tradition, les moutasilites sont les fondateurs d'une école philosophique. Avec eux, l'imam se voit octroyer un pouvoir doctrinal supérieur au consensus des docteurs de la Loi.

La cour intérieure de la mosquée al-Hakim au Caire et, à gauche, le minaret octogonal. La mosquée fut construite par le calife fatimide al-Hakim entre 996 et 1021.

main-d'œuvre et de capitaux dans les villes. Mais cette mutation crée des inégalités, des insatisfactions et des tensions sociales. Au contact d'une grande diversité de cultures et d'une activité intellectuelle de plus en plus effervescente, de nombreux mouvements hérétiques voient le jour.

Le calife al-Mouktafi (902-908) réussit à mater les révoltes karmates en Syrie et en Irak, mais la situation devient plus grave quand d'autres rébellions éclatent en Afrique du Nord. Son successeur, le jeune al-Mouqtadir, doit affronter une nouvelle vague de révoltes religieuses chiites conduites par les ismaéliens qui conquièrent la ville de Kairouan. Leur chef Ubaydullah, faisant valoir sa descendance de Fâtima, la fille du Prophète, se proclame calife et fonde la dynastie fatimide. La Syrie du Nord passe sous le contrôle de la dynastie locale des Hamdanides tandis qu'en Perse une famille chiite, les Bouwayhides, prend le pouvoir.

Entre-temps la confusion et le désordre règnent dans la ville de Bagdad. En 945, quand l'émir bouwayhide du Khûrâsan, investi par le calife abbasside du titre honorifique de *Mou'izz al-Dawla*, "gloire de l'État", entre dans la capitale pour défendre la dynastie, le pouvoir réel passe aux mains des chiites. L'influence de l'armée s'étend et donne naissance à une nouvelle et puissante aristocratie militaire. Parallèlement, les rentrées d'impôts ne cessent de diminuer.

Les tensions sociales.
À la fin du IXe siècle apparaît dans tout le pays une caste de mendiants d'origine multiethnique tandis que des révoltes d'esclaves noirs, les Zendjs, éclatent dans les salines du sud de l'Irak, mettant l'État en grande difficulté.

Les Karmates.
La brutale révolte des Karmates en 875 soulève les paysans et les bédouins de l'Irak. Elle s'inspire du mouvement chiite mais ses revendications sont essentiellement politiques et sociales. La révolte va gagner rapidement les régions frontalières de la Syrie et de l'Irak et s'étendre à une grande partie de la péninsule Arabique. Elle sera à l'origine de la fondation d'un État au Bahreïn, qui conservera son indépendance jusqu'en 1075.

En Afrique du Nord, l'État fatimide annexe l'Égypte en 869 et étend son influence jusqu'à la Syrie et à la péninsule Arabique. À la différence des Bouwayhides, ces ismaéliens ne reconnaissent en aucune manière l'autorité de la dynastie abbasside. La prospérité et la solidité favorisent l'Égypte fatimide tandis que le califat de Bagdad s'affaiblit. Une série d'attaques extérieures accélère la chute de l'empire. En Europe, les forces chrétiennes commencent à reprendre l'initiative en Espagne et en Sicile, et cette expansion conduira aux croisades. Mais le véritable danger pour l'Empire islamique vient d'Orient. Des steppes asiatiques arrivent des vagues d'envahisseurs, dont une population turque originaire du nord de la mer Caspienne, convertie à l'islam au Xe siècle, qui fournit des soldats pour les troupes auxiliaires des seigneurs locaux. En 1038, leur chef, Toghroul-Beg, de la dynastie des Seldjoukides, se proclame sultan à Nishapur, puis embrasse l'orthodoxie sunnite contre le pouvoir chiite et marche sur la Perse. En 1055, il entre à Bagdad où il met un terme au régime des Bouwayhides. Des mains du calife il reçoit le titre de sultan, les pleins pouvoirs et la charge de combattre les Fatimides. Pendant près d'un siècle les Seldjoukides vont consacrer tous leurs efforts à l'institution du culte, au renforcement de l'autorité de l'État et aux progrès culturels. Des troubles, des complots et la situation internationale les affaiblissent au profit du calife al-Nasir (1180-1225). Pendant que les Ayyoubides se battent contre les croisés en Syrie et en Égypte, les Kharezmchah, en Iran, sont aux prises avec les Mongols qui font bientôt irruption dans le monde musulman. En 1243 ils envahissent l'Iran, puis l'Irak, et ils dévastent la capitale abbasside en 1258. La chute du califat entérine la fin d'une grande époque de l'histoire et de la civilisation islamique.

Gengis Khan reçoit l'hommage de dignitaires. Miniature persane du XIVe siècle. C'est d'Orient qu'arrivaient les envahisseurs les plus dangereux pour le califat de Bagdad. Les Turcs, convertis à l'islam, parvinrent à le démanteler. Bibliothèque nationale, Paris.

L'Égypte fatimide. Sous la dynastie fatimide, l'ouverture aux influences ethniques et aux confessions religieuses diverses favorise un épanouissement de la vie culturelle, qui sera une période d'apogée de l'Égypte et de la dimension universaliste de l'islam. Avec l'expansion économique et commerciale, les centres urbains vont se multiplier et connaître une véritable prospérité, donnant naissance à une élite citadine cosmopolite et raffinée. La traduction en arabe d'œuvres littéraires, scientifiques et philosophiques grecques, persanes et indiennes contribue au renouveau et à l'enrichissement de l'humanisme arabe.

De la décadence à la réalité d'aujourd'hui

Après la conquête de Bagdad, le commandant mongol Hûlâgû se tourne vers le nord-ouest de l'Iran où, pendant huit ans, il va combattre les sultans seldjoukides en Anatolie. Au Moyen-Orient pendant cette période, trois grandes puissances s'affrontent : l'Iran des khans mongols païens, plus tard convertis à l'islam, la Turquie des princes ottomans musulmans et l'Égypte des sultans mamelouks.

Encouragé par de grandes victoires, Hûlâgû reprend en 1259 sa marche conquérante vers la Syrie et il entre dans Damas après avoir conquis Alep. En 1260, en Palestine, au cours de la bataille d'Aïn Djalût, l'armée mongole est anéantie par les troupes mamelouks, commandées par le Turc Baybars. Mais le conflit entre la puissance mongole et l'Égypte durera plusieurs dizaines d'années, bien après la conversion des khans à l'islam. Entre-temps, l'Égypte, qui a pris la place de l'Irak affaibli, est devenue le centre du pouvoir islamique et a réussi à repousser les Mongols et les croisés.

Après la mort en 1193 de Saladin, Salâh al-Dîn al-Ayyoubi, fondateur de la dynastie ayyoubide, le royaume éclate. Son successeur al Malik al-'Adil inflige une cuisante défaite à l'armée de la quatrième croisade, mais par la suite l'Égypte devra accepter la coexistence avec les Francs. Puis survient une période de troubles. Après l'assassinat, en 1250, du dernier descendant de Saladin, le sultan Touran Shah, le mamelouk 'Izz al-Dîn Aybak épouse sa veuve et fonde un État mamelouk en Égypte et en Syrie.

Timour Lang. En Asie centrale, Timour Lang (Tamerlan), seigneur des fiefs mongols, envahit l'Iran en 1380. Après l'avoir annexé, il traverse l'Irak et ravage la Syrie. Ce n'est qu'à sa mort, en 1405, que prennent fin les invasions dévastatrices des peuples des steppes et que l'immense Empire mongol finit par se désagréger.

Personnage avec une fleur, miniature de l'école d'Herat (1260). Musée Topkapi, Istanbul.

Après sa victoire sur les Mongols, et profitant des désordres, le général mamelouk Baybars s'autoproclame sultan d'Égypte et de Syrie. En accueillant un Abbasside échappé aux Mongols, il rétablit le califat sunnite au Caire, mais c'est un califat fantôme sans pouvoir.

En Anatolie, au début du XIVᵉ siècle, une principauté ottomane naît aux confins de la Bithynie byzantine et prend le nom de son fondateur Othman. Ainsi s'amorce une guerre de frontière incessante avec les Byzantins. Pendant ce temps, les troupes ottomanes traversent les Dardanelles en 1354 et pénètrent en Europe par les Balkans, la Macédoine, la Bulgarie et la Serbie.

Un commandant ambitieux, Bayazid Iᵉʳ, "Bajazet" (r. 1389-1403), quatrième héritier d'Othman, ne se contente pas du vaste royaume dont il a hérité en Europe et en Asie. Il veut aussi annexer les émirats turcs pour unifier toute l'Anatolie sous sa seule autorité. Mais il est définitivement vaincu à la bataille d'Ankara, en 1402. Après une longue période de guerres civiles, en 1413, Muhammad Iᵉʳ, un fils de Bayazid, peut régner sans partage sur un État ottoman agité par plusieurs rébellions. La politique d'expansion territoriale recommence sous Mourat II (1421-1444). Muhammad II, fils de Mourat, appelé *Fatih*,

Baybars. L'État sunnite des Mamelouks, institué par Baybars, est fondé sur une structure administrative duale, militaire et civile, très complexe, où les fonctionnaires civils restent subordonnés aux officiers mamelouks. La transmission héréditaire du sultanat, qui perdure jusqu'en 1383, prendra fin avec les rivalités des factions militaires qui cherchent à s'emparer du trône. La conquête de l'Égypte par les Turcs ottomans met un terme, en 1517, à la dynastie des Mamelouks et au pouvoir fantôme du califat.

Mourat II. Ce sultan très énergique, défenseur de l'autorité ottomane contre les Hongrois dans les Balkans, va étendre son pouvoir en Anatolie. Il consolide l'État et modernise l'armée, qui adopte les armes à feu en 1422.

50

"le conquérant", accède au trône en 1451 et décide d'unifier les deux parties de l'empire : l'Anatolie, désormais islamique, et la partie européenne. Il met fin à l'Empire byzantin en conquérant, en 1453, Constantinople qui devient la résidence du sultan et le centre spirituel du monde musulman en Europe.

En 1481, sous le sultanat de Bayazid II, après une longue période de paix, l'Égypte et l'Empire ottoman entrent en guerre pour le contrôle de la Cilicie. Le conflit va durer de 1485 à 1490, sans vainqueurs ni vaincus, et sera très lourd pour l'Égypte. Mais avant de pouvoir lancer leur attaque décisive, les Ottomans

doivent affronter la troisième puissance islamique, l'Iran. En 1501, shah Ismâ'îl, seigneur des Turkmènes, fonde en Azerbaïdjan une nouvelle dynastie très ambitieuse, les Safavides. Après avoir conquis la Perse et la Mésopotamie, il unifie le pays sous un régime théocratique inspiré des doctrines chiites et fonde sa capitale dans une région proche des territoires ottomans. Cette victoire pousse les Ottomans à annexer les pays de langue arabe du sud de la Péninsule, jusqu'aux rives du golfe Persique.

En 1517, Sélim reçoit les clefs de la Kaaba et le titre de calife, légitimant ainsi son protectorat sur les lieux saints. Les circonstances sont favorables à une attaque décisive contre l'État mamelouk vacillant.

Shah Abbas Ier et son épouse. Peinture de l'école d'Herat. Musée du Louvre, Paris.

En bas à gauche et à droite : Détails d'une miniature de l'école d'Herat (1262). Musée Topkapi, Istanbul.

Fatih. C'est à lui que l'on doit les premiers codes légaux ottomans. Il refond le corps des janissaires et réorganise en parallèle l'administration fiscale. Avec son règne commence également une période d'intense activité de construction urbaine.

Safavides et Ottomans. En 1511, les Safavides fomentent une révolte contre les Ottomans en Anatolie centrale. Le sultan Sélim Ier le Cruel, qui succède en 1512 à un père âgé, étouffe la révolte dans le sang, exacerbant ainsi le conflit politico-religieux

avec la dynastie persane des Safavides. En 1514, le Safavide Ismâ'îl déclare la guerre aux Ottomans, mais l'armée iranienne subit une lourde défaite devant les janissaires et l'artillerie ottomane, de sorte que Sélim Ier s'emparera de la capitale, Tabriz.

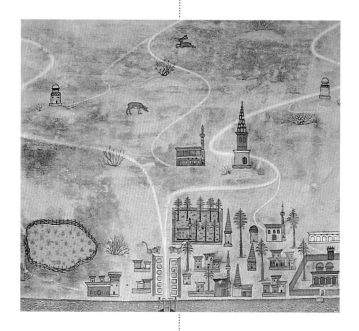

Lieu de pèlerinage. Miniature turque (XVIe siècle) tirée du manuscrit Menazilname *("L'Itinéraire"), qui célèbre la première expédition persane de Souleyman dit le Magnifique. Musée Topkapi, Istanbul.*

En 1520 l'avènement du sultan Souleyman, dit "le Magnifique", marque l'apogée de l'Empire ottoman. L'organisation politique et sociale de l'État est définitivement établie à travers une réforme globale. La Turquie fait son entrée dans la politique européenne et, après la victoire de 1526 contre les Hongrois, les Turcs arrivent jusqu'à Vienne, qui sera assiégée sans résultat. La grande expansion prend fin après la mort de Souleyman en 1566 et le pouvoir passe aux mains du grand *wasir*. La gestion inique du système foncier et administratif provoque des rébellions endémiques. En 1683, le deuxième siège de Vienne se conclut sur un échec décisif des Turcs, suivi de défaites militaires importantes et de la perte de nombreuses provinces. L'Empire ottoman devient cet "homme malade" dont la faiblesse est un risque pour les nations européennes.

Entre-temps, shah Abbas, qui a accédé au trône iranien en 1588, va porter la dynastie à son apogée. L'armée est réorganisée, le chiisme devient religion d'État et l'instauration de nouvelles relations avec l'Europe offre des débouchés commerciaux.

Avec la mort d'Abbas en 1629, s'annonce le déclin irrévocable de la dynastie safavide. Les succès remportés par Nadir, un habile commandant militaire, ne modifieront pas fondamentalement les rapports de forces entre les États islamiques et leurs antagonistes européens. Les conflits avec les Russes et la signature de traités de paix successifs, désa-

La crise de l'Empire ottoman. La défaite de Vienne et les clauses très désavantageuses pour les Ottomans du traité de paix de Carlowitz de 1699 marquent le début du recul des forces de l'Islam face à la politique expansionniste de l'Europe. L'armée russe et les nations de l'Europe occidentale entreprennent la conquête des territoires musulmans sur lesquels elles vont assurer leur domination. Ce renversement des rapports de force au plan militaire et commercial va affecter tous les pays musulmans.

L'apogée des Safavides. C'est sous le règne de shah Abbas (1588-1629) que l'architecture et la peinture sont portées à leur apogée, notamment avec l'école de miniatures de Rida-i Abbassi.

vantageux et humiliants pour les Ottomans, entérinent le recul de la puissance moyen-orientale. La Russie constitue aussi une menace pour l'Iran, qui va tenter de reconquérir les régions du Caucase qu'il avait dû lui céder. L'action est conduite par un chef des Turkmènes, Agha Muhammad, qui s'empare de la Perse du Nord et fait de Téhéran sa capitale en 1785. Couronné shah en 1794, il fonde la dynastie des Qâdjars. Ses successeurs tenteront de gouverner en s'opposant aux visées expansionnistes de la Russie sur le Caucase et de l'Angleterre sur l'Afghanistan. En 1828, la Russie impose un traité de paix déshonorant pour l'Iran, prend parti pour les Grecs, et la guerre est déclarée à la Turquie. À la reconquête de territoires se substitue une attaque frontale contre l'Islam. En Asie, les Russes avancent vers le sud, et en Occident, des siècles après la "Reconquista", les Espagnols et les Portugais mènent une offensive en Afrique.

L'islam et l'Europe. La contribution de l'islam au développement de la civilisation européenne est très importante, que ce soit directement à travers sa propre culture ou par la transmission des cultures de la Méditerranée et de l'Asie. À la suite des croisades, les rapports sociaux, économiques et culturels entre les deux mondes s'intensifient, leurs contacts étant loin de pouvoir se résumer aux faits de belligérance.

Ispahan, la mosquée royale (XVIᵉ siècle) construite par shah Abbas le Grand.

Nadir. Chef d'une tribu turkmène au service des Safavides, cet habile commandant militaire dirige la contre-attaque des Iraniens et obtient le gouvernement de la Perse orientale. À la mort du shah en 1736, il accède au trône.

Ibrahim Pacha (1718-1730). Grand *wasir* du sultan Ahmet III, il instaure une politique d'ouverture à l'Occident et d'amélioration des relations politiques. L'imprimerie est développée dans le monde ottoman, l'administration et les finances sont réformées.

Tombes des Mamelouks (1564), Le Caire. À l'origine soldats esclaves, les Mamelouks gouverneront l'Égypte pendant trois siècles. Ils seront d'excellents guerriers et de grands défenseurs de l'islam.

En 1798, avec l'arrivée des troupes françaises en Égypte, sous le commandement de Bonaparte, a lieu la première expédition militaire après les croisades, et ce dans une zone de grande importance stratégique, province ottomane du Moyen-Orient. Opération de conquête militaire, c'est aussi la première exploration scientifique et le premier contact entre le monde révolutionnaire et le monde traditionaliste. L'occupation de l'Égypte est de courte durée : le contrôle musulman est rétabli grâce à l'intervention d'une autre puissance occidentale, l'Angleterre, cependant que le corps expéditionnaire ottoman conduit par Muhammad Alî contribue à la défaite des Français en 1801. Muhammad Alî, devenu gouverneur d'Égypte, entreprend d'importantes réformes militaires, foncières et fiscales. En 1841, il est nommé vice-roi héréditaire et obtient l'indépendance de fait de l'autorité ottomane en Égypte.

Entre-temps, un événement d'importance majeure a lieu dans la péninsule Arabique, qui aura des conséquences sociales, politiques et religieuses. Muhammad ibn Abd al-Wahhab s'allie avec Muhammad ibn Sa'oud, le chef d'une tribu du Nedjd, région du centre de la péninsule Arabique, pour imposer sa doctrine par les armes. Le mouvement de réforme rigoriste sunnite de la *Wahhabiyya*, fondé en 1746, est une reformulation des doctrines plus anciennes des écoles juridiques hanbalites

Muhammad Alî. Ce grand réformateur introduit un système éducatif moderne, il crée des universités de médecine et des grandes écoles d'ingénieurs et de chimistes. L'adoption du machinisme européen aide au développement industriel. En 1821, à Boulaq, au Caire, est créée la première imprimerie d'État égyptienne tandis que le premier journal arabe paraît en 1828. Bien qu'il s'agisse seulement d'une gazette officielle du gouvernement, l'événement est d'importance puisqu'il entérine le retour institutionnel à la langue arabe. Avec la construction du chemin de fer et l'ouverture du canal de Suez en 1869, l'Égypte retrouve un rôle stratégique dans l'économie mondiale.

et des théories d'Ibn Taymiya dont les idées inspireront tout un courant du modernisme islamique, bien au-delà du succès temporaire du mouvement. Les Wahhabites conquièrent Médine en 1804 et La Mecque en 1806, s'assurant ainsi le contrôle d'une importante partie des territoires de l'Arabie. Mais en 1811, à la demande du sultan ottoman, le gouverneur d'Égypte Muhammad Alî monte une expédition contre les Wahhabites.

En 1830, la colonisation de l'Afrique du Nord commence avec l'annexion par les Français de l'Algérie, alors sous l'autorité d'une dynastie autonome qui n'est soumise que nominalement au pouvoir ottoman. En 1832, l'émir Abd al-Qâdir, un soufi, philosophe et poète algérien, prend la tête de la guerre d'indépendance contre la France. La rébellion est vaincue en 1847 et Abd al-Qâdir est contraint à l'exil.

Les premières tentatives de constituer des assemblées consultatives dans le monde arabe ont lieu en Tunisie, mais sont interrompues dès 1881 par l'occupation française. D'autres pays d'Afrique du Nord sont colonisés par les Européens, comme la Libye, cédée par les Turcs aux Italiens en 1911 et dont la conquête s'achève en 1922. Au Maroc, le règne du sultan Abd al-'Aziz, commencé en 1894, s'achève en 1912. Le pays passe sous protectorat français, avec le maréchal Lyautey comme résident général.

En Turquie, le sultan Mahmoud II (1808-1839) lance un programme de réformes et de réorganisation de l'armée et de l'État directement inspiré des modèles français. En 1865, se constitue le mouvement des Jeunes-Turcs, mélange de patriotisme, de constitutionnalisme ottoman et de modernisme islamique. Le mouvement constitutionnel se développe jusqu'à la promulgation de la Constitution par le sultan Abd al-Hamid II.

Un minaret au centre de Marrakech, Maroc. La ville fut fondée en 1077 par les Almoravides, venus du sud par les routes caravanières du Soudan. Marrakech est depuis toujours un important centre d'études théologiques islamiques.

Les Constitutions. La proclamation de la Constitution en 1861, par le bey de Tunis, introduit pour la première fois un régime constitutionnel en pays islamique, mais elle est révoquée dès 1864. De même, en Égypte, la délibération des questions d'agriculture, d'instruction et des impôts est confiée par le gouverneur à une assemblée parlementaire. Ces réformes institutionnelles ne parviendront aucunement à enrayer la décadence des pays islamiques livrés à la banqueroute, au désordre, aux interventions et à l'occupation étrangères. Il reste que dans tout le monde arabe, l'émergence des mouvements idéologiques nationalistes et islamistes préfigure la renaissance culturelle et la reconquête de l'indépendance politique.

La ville de Djenine dans un tableau de David Roberts (1839). Le XIXᵉ siècle est caractérisé par les guerres de résistance à la colonisation et par le renouveau culturel dans le contexte d'un retour aux sources religieuses.

En bas à droite : Le Caire au crépuscule.

L'insurrection de 1908, suivie d'élections, amène les Jeunes-Turcs à la majorité parlementaire, puis au pouvoir par le coup d'État de 1913. L'année suivante, il est mis fin à leur tentative de démocratie : la Turquie devient partie belligérante de la Première Guerre mondiale en alliance avec les empires centraux.

En Égypte, un penseur religieux et réformateur persan, Djamal al-Dîn al-Afghani, défend des idées modernistes à caractère islamique qui nourriront le mouvement nationaliste égyptien d'opposition. Il est le fondateur du mouvement religieux de la *Jami'ah al-Islamiyya*. Son principal disciple égyptien, cheikh Muhammad Abdou, sera le continuateur de ses idées. Nommé grand mufti d'Égypte en 1899, il va soutenir les réformes libérales dans la mouvance du modernisme islamique.

En 1870, au Soudan, se précise le danger d'un nouveau schisme rigoriste, quand Muhammad Ahlad ibn Abd Allah, qui se présente comme l'incarnation du Mahdi, le douzième imam chiite, fonde un mouvement islamique fondamentaliste. En 1881, la rébellion d'officiers, soutenus par les constitutionnalistes et par des partisans d'al-Afghani, conduit à l'occupation de l'Égypte par l'Angleterre. Le Mahdi appelle à une guerre sainte contre le régime égyptien du Soudan. Ses succès militaires l'amènent à contrôler le Soudan oriental. Ce n'est qu'en 1898 que les troupes anglo-égyptiennes commandées par lord Kitchener réussissent à vaincre l'armée du Mahdi. Mais son indéniable audience populaire reste encore sensible aujourd'hui.

Les idées libérales de la bourgeoisie commerciale chrétienne influente à Beyrouth se conjugueront à ces efforts de modernisation islamique. En 1866 est créée par des mis-

Salafiyya. Muhammad Abdou et son disciple Rachid Rida fondent en 1898, au Caire, l'hebdomadaire *al-Manar*, organe de diffusion de leur politique de réforme fondée sur le retour aux valeurs des fondateurs de l'islam, les *salaf*.

sionnaires protestants l'université américaine de Beyrouth. Avec l'apport des intellectuels de toute la Syrie, elle contribuera considérablement à la renaissance de la pensée et de la culture arabes. À Beyrouth encore, naît en 1912 un comité de réforme contre le risque de "turquisation" qui lutte pour obtenir de l'État ottoman une reconnaissance de l'arabe comme langue officielle. Un autre comité, appelé *al-'Arabiyya al-Fatat*, institué à Paris en 1911 et fortement représenté à Beyrouth en 1913, exige la libération totale de la domination ottomane.

En Arabie, les doctrines wahhabites reçoivent le soutien de la dynastie saoudite qui, grâce à l'alliance avec l'Angleterre contre les Turcs, étend son pouvoir sur une grande partie de l'Arabie orientale au début de la Première Guerre mondiale. Dans l'immédiat après-guerre, le chef de la dynastie saoudite, Abd al-'Aziz ibn Saoud, impose son autorité sur de nouveaux territoires de l'Arabie du Nord et du Sud : en 1932, c'est la proclamation du royaume d'Arabie Saoudite. En Turquie, un jeune officier du nom de Moustafa Kemal, qui sera surnommé plus tard Atatürk, "le père des Turcs", organise en 1919 la résistance nationaliste contre les alliés dans le centre de l'Anatolie. À la libération du pays, la République est proclamée et le sultanat aboli en même temps que l'islam cesse d'être religion d'État et que l'alphabet latin remplace l'alphabet arabe.

Saoudiens en prière à Abou Dhabi, Émirats arabes unis. Sur la scène internationale, les pays du Golfe et l'Arabie Saoudite présentent un visage qui balance entre mystique et obscurantisme, à la fois vertueux et rétrograde.

Nakchbandi et Wahhabites.

Dès le XVIIIe siècle, ces deux mouvements religieux s'opposent à la menace occidentale et à la décadence de la civilisation islamique. Originaire de l'Inde, la confrérie des Nakchbandi, d'inspiration soufi, fut introduite dans les pays du Moyen-Orient et en Turquie au XIVe siècle. En Égypte, le sursaut spirituel et rénovateur impulsé par des érudits et des maîtres nakchbandi va être réprimé par l'invasion française et se transformer en lutte de libération. Le mouvement wahhabite, bien que très éloigné du mysticisme soufi, prône aussi une réforme de l'islam. Même si la dynastie saoudienne wahhabite perd le pouvoir à la suite de l'intervention égyptienne de 1818, les idées inspiratrices du mouvement sont encore vivantes aujourd'hui.

Intérieur de la mosquée de Khomeyni à Téhéran (Iran). La révolution de Khomeyni (1979) va provoquer un sursaut de l'islam et encourager la naissance de nouveaux États islamiques.

En Iran, en 1906, la révolution constitutionnelle impose au shah la convocation d'une assemblée nationale et la promulgation d'une Constitution ; la guerre civile le contraint à se réfugier en Russie en 1908. En 1909, sous le règne d'Ahmad shah, la création de l'Anglo-Iranian Oil Company introduit le régime des concessions dans l'exploitation des ressources pétrolières de la Perse. C'est le début d'une ère nouvelle dans les rapports entre les pays islamiques et les puissances européennes. La même année, l'accord conclu entre l'Iran et l'Angleterre garantit l'indépendance et l'intégrité du territoire iranien. Ce qui n'empêchera pas l'occupation d'une grande partie du pays par des troupes russes et anglaises pendant la Première Guerre mondiale. En 1921, un officier du nom de Reza khan Sawadkouhi s'empare du pouvoir. Sa dictature est renforcée dès 1925, quand il parvient à renverser le shah de la dynastie des Qâdjars. Il se proclame à son tour shah et fonde la dynastie des Pahlavi.

Des États indépendants. Les bouleversements consécutifs à la Première Guerre mondiale enregistrent donc le recul définitif des puissances islamiques sous la pression des puissances occidentales. Le partage des territoires arabes par les vainqueurs s'accompagne de la création de nouveaux États dont les frontières sont complètement redessinées et dont l'administration est soumise aux nations européennes mandatées par la Société des

Les Pahlavi.
Reza Shah entreprend une politique de modernisation et de centralisation de l'Iran. Son fils Muhammad Reza, qui continue l'œuvre de son père, sera renversé par la révolution islamique de Khomeyni en 1979.

Les Arabes et Israël.
En 1947, l'Assemblée générale de l'Onu adopte, après de longs et dramatiques débats, la résolution qui entérine la division de la Palestine et conduit à la proclamation de l'État d'Israël le 14 mai 1948. La première guerre

israélo-arabe va inaugurer une longue série de conflits entre les États arabes indépendants, qui concluront des alliances instables, et l'État d'Israël. Les tentatives militaires de s'opposer à la création de l'État d'Israël entraîneront la division des pays arabes

Nations. La Mésopotamie, devenue monarchie sous mandat britannique, prend le nom d'Irak, d'après une ancienne appellation arabe. La partie méridionale de la Syrie confiée aux Anglais prend le nom de Palestine, tandis que la partie septentrionale cédée à la France donnera naissance, après plusieurs modifications, aux Républiques de Syrie et du Liban. Par la déclaration Balfour en 1917, les Anglais s'engagent à soutenir la création d'un "homeland" juif dans le cadre des limites territoriales fixées par la Société des Nations.

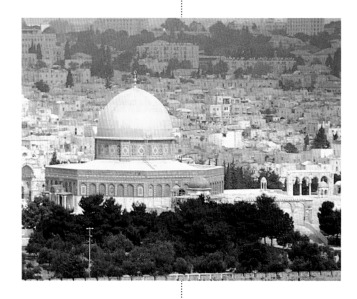

Jérusalem : Au premier plan, la mosquée du Rocher.

En bas : enfant irakien.

Dans toute la région du Moyen-Orient, les seuls États qui, entre les deux guerres, parviendront à conserver leur indépendance et à jouir d'une souveraineté totale sont la Turquie, l'Iran et l'Afghanistan. L'Arabie Saoudite et le Yémen accèdent également à l'indépendance, ainsi que, dans une certaine mesure, l'Égypte et l'Irak, dont l'indépendance restera formelle puisque ces régimes n'obtiendront que plus tard une complète autonomie politique. Après le départ forcé des Français, la Syrie et le Liban s'ajoutent à la liste des pays indépendants et entrent dans la Ligue des États arabes proclamée en mars 1945. Le rattachement de la Jordanie à la Ligue a lieu l'année suivante. La liste des pays qui obtiennent leur indépendance s'allonge : Libye (1951), Soudan (1956), Tunisie, Maroc et Mauritanie (1960), Koweït (1961), Algérie (1962, après une longue et sanglante guerre de libération), Émirats arabes unis (1971).

et bouleverseront toute la région. Dans les années de l'immédiat après-guerre vont se succéder des révoltes et des coups d'État sanglants dirigés contre les régimes qu'on estime responsables de la défaite face à l'État juif naissant et complices des forces occidentales introductrices de ce "corps étranger" au cœur du monde arabe. Si aujourd'hui Israël a obtenu la reconnaissance des pays arabes, la question de la nation palestinienne reste probablement l'obstacle majeur à la pacification de toute la région.

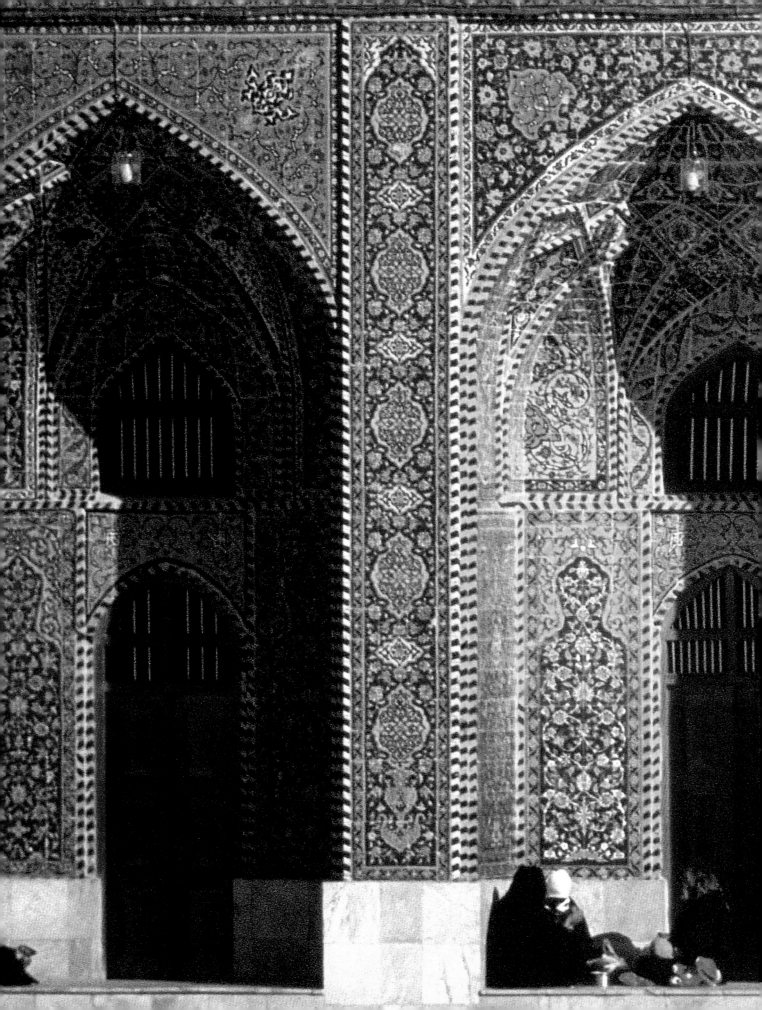

Les images de l'islam

Le Rocher sacré à l'intérieur du Dôme du Rocher à Jérusalem.

Page de droite : Fidèles en prière sur l'esplanade devant le Dôme. La construction de l'édifice sous le calife omeyyade Abd al-Malik ibn Marwan, commencée en 687, fut achevée en 692. Le Rocher sacré, qui aujourd'hui se trouve à l'intérieur du grand édifice polygonal, est un objet de vénération pour les musulmans, les juifs et les chrétiens. Pour les musulmans, c'est sur ce rocher que le Prophète aurait commencé son ascension. On pense que le Dôme du Rocher a été construit au sommet de l'antique mont Moriah, sur le lieu du sacrifice d'Ismaël dont les Arabes se considèrent les descendants. Près du Dôme du Rocher se trouve la mosquée al-Aqsa.

Double page précédente : Vue du mausolée de Kerbala, la ville sainte des chiites, en Irak.

Un coin de la cour de la Grande Mosquée de Ziyadatr Allah à Kairouan, Tunisie. Construite en plusieurs étapes entre 836 et 875, elle a toujours été parmi les plus importants centres d'étude et de prière de l'islam.

Le minaret de la grande mosquée de Ziyadatr Allah à Kairouan, Tunisie. On remarque la juxtaposition de motifs orientaux et occidentaux dans la décoration de la mosquée.

En bas et page de droite : Détails des décorations en céramique de la mosquée.

La grande mosquée de
Samarra, en Irak, construite
entre 848 et 852 par le calife
al-Moutawakkil. Les murs
d'enceinte en ruine délimitent
une immense esplanade
réputée pour être le plus
vaste espace clos du monde
islamique. À gauche, la
malwiyya, minaret à spirale de
55 m de haut construit selon

la tradition mésopotamienne
de la tour à escalier
hélicoïdal, dérivation des
ziggourats babyloniennes.

Page de droite : Le minaret
de la mosquée d'Abou Doulaf,
à proximité de la grande
mosquée de Samarra, a la
même forme que la malwiyya
mais il est plus petit

et plus élancé. Samarra,
à 150 km au nord de
Bagdad, prit son essor
en devenant la ville de
garnison de la gigantesque
armée d'esclaves
turcs qui comptait 70 000
hommes sous les califats
d'al-Moutasim (833-847)
et d'al-Moutawakkil
(847-861).

La colonnade de la grande mosquée de Cordoue et, page de droite, son portail occidental. La mosquée fut construite en une seule année (786-787) par le calife omeyyade Abd al-Rahman qui fit de Cordoue sa capitale. Cet édifice en pierre composé à l'origine d'une salle de prière et de onze nefs perpendiculaires à la Kibla (la direction de La Mecque) représente l'un des chefs-d'œuvre de l'architecture islamique classique.
Le sahn, l'espace central, communiquait avec la salle de prière par une porte. En 951, Abd al-Rahman III fit agrandir le sahn vers le sud et construire un nouveau minaret. Sa construction sera achevée en 962 par al-Hakam II.

*La mosquée du Vendredi
à Ispahan, Iran.
Avec Alp Arslan (1063-1072),
Ispahan devint la capitale de
l'Empire seldjoukide.
La ville était centrée autour
de l'espace carré situé
devant l'entrée de la
grande mosquée construite
à la fin du IXe siècle.*

*Plusieurs éléments
sont des ajouts ou des
reconstructions plus tardifs.*

*Deux images de l'intérieur
de la mosquée de la
Congrégation ou du Vendredi
à Ispahan, Iran. Cette
mosquée fut édifiée à
l'époque mongole (XIVᵉ siècle).
Ispahan redevient capitale
sous le règne de shah Abbas,
durant lequel elle connaît
sa période la plus florissante.*

*La chaire sur laquelle
s'assoit l'imam pour la prière
du vendredi. Dans les lieux
de culte, l'imam n'a pas de
fonction hiérarchique ou
d'autorité. Il peut être le
gardien de la mosquée et
conduire la prière. En son
absence tout fidèle peut
assumer cette charge.*

Le patio de los Arrayanes et, à droite, le patio de los Leones et la salle de los Reyes de l'Alhambra de Grenade. C'est Muhammad Ier, dit Ibn al-Ahmar (1230-1272), qui fonda le royaume de Grenade et construisit la citadelle de l'Alhambra, la forteresse rose qui deviendra sa capitale. L'espace, la splendeur de la décoration, l'utilisation du plan d'eau, tout concourt à donner une image parfaite du paradis coranique.

Double page suivante : la décoration de la salle de las Dos Hermanas.

Plat persan du XIIIe siècle avec un décor de nobles et de cavaliers. Musée Benaki, Athènes.

Page de droite : Tapis persan représentant des scènes animalières. Musée Poldi Pezzoli, Milan. L'art figuratif a un rôle très important dans la culture islamique : il n'y a dans le Coran aucun passage qui interdise l'œuvre figurative, en revanche les "idoles" et leur adoration sont condamnées. On peut représenter la réalité, mais l'homme ne doit pas essayer de rivaliser avec Dieu dans la création.

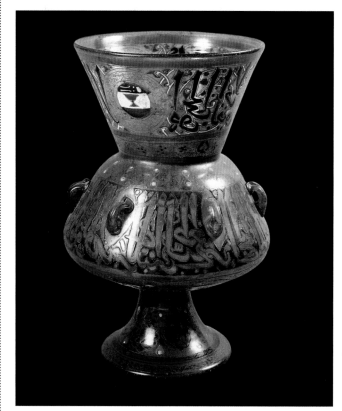

Flacon à parfum en verre et décorations en émail. Égypte ou Syrie, XIIIe siècle. Museo civico di arte medievale, Bologne.

À droite : Coffret en ivoire peint avec des lions. Museo del Bargello, Florence. Lampe de mosquée en verre émaillé (Syrie, XIVe siècle). Museo del Bargello, Florence.

Page de droite : Vase en bronze et argent. Seconde moitié du XIIIe siècle. Afrique du Nord (Maroc ou Égypte). Museo del Bargello, Florence.

Fragment d'une carte du
monde de l'amiral Piri Re'is
(1513) représentant l'océan
Atlantique et les côtes
de la péninsule Ibérique,
de l'Afrique occidentale
et de l'Amérique méridionale.
Musée naval, Istanbul.
L'amiral turc dessina sa carte
du monde en se fondant sur
celle de Christophe Colomb
et sur des cartes portugaises,
alexandrines et arabes.

Page de gauche : Page d'un
manuscrit d'Abou Ma'chat
(Le Caire, 1250 environ),
avec une miniature évoquant
l'astrologie. Conjonction
de la Lune et de Jupiter
en Sagittaire. Bibliothèque
nationale, Paris. L'astrologie
et l'astronomie européennes
ont été fortement influencées
par la science islamique,
comme en témoignent la
renommée d'Abou Ma'chat et
le grand nombre de termes
techniques dérivés de l'arabe.

Double page suivante :
À Djedda, les pèlerins
se préparent à entrer
dans l'enceinte sacrée
de La Mecque.

Timimoun, dans le désert
algérien. Une foule immense
s'y rassemble pour célébrer
la naissance du Prophète.
Chaque pays islamique
commémore cet anniversaire
selon ses propres traditions.
Mais pour tous les fidèles,
c'est une fête vouée à la
prière et à la spiritualité.

Rassemblement pour la fin du Ramadan dans les rues du Caire, devant la mosquée à Mohan Disîn. Avec la fin du mois de Ramadan et du jeûne (sawm), le monde musulman célèbre le triomphe de la foi et la victoire sur le mal et les tentations. Les fidèles en liesse échangent des souhaits de paix pour eux et le reste du monde.

*Vues du Qaît Bey, Le Caire.
Le sultan mamelouk
Qaît Bey fit construire
cet édifice, composé
d'une tombe, que l'on
voit ici, et d'une madrassa,
entre 1472 et 1474.*

Femme en prière dans un cimetière d'Istanbul. Les cimetières musulmans sont en général très sobres. On s'y rend régulièrement pour réciter la sourate Fatiha, "l'Ouvrante", pour les défunts et pour lire quelques autres sourates du Coran.

Page de droite : Un imam prie dans la mosquée Eyoub d'Istanbul. La mosquée est le lieu idéal pour la prière, la méditation et l'énonciation du nom d'Allah. Mais elle sert aussi de lieu de rencontre pour la communauté, et dans le sahn on donne des leçons de théologie et on étudie le Coran.

Intérieur d'une mosquée
à Miri en Malaisie.

Ci-contre : Prière dans
une mosquée de Kuala
Lumpur, Malaisie.

Page de droite, en haut :
Jeunes étudiantes d'une
école coranique avec
leur professeur, à Miri.

Page de droite, en bas :
Un moment de réflexion et
d'étude dans la mosquée.
Il y a actuellement plusieurs
centaines de millions
de musulmans en Asie.

Élèves d'une école coranique dans le sultanat d'Oman. Les écoles coraniques ont joué un rôle essentiel dans la sauvegarde de la langue arabe. Pendant toute la période de la décadence l'enseignement du Coran a permis aux jeunes musulmans de garder un lien avec leur culture et leur religion.

Page de droite : Ancienne ville du Yémen, Sanaa a conservé jusqu'à aujourd'hui les caractéristiques de l'architecture arabe de la période préislamique.

Rituels et pratiques

Calligraphie d'un verset du Coran en style thoulouth yali *de Youssouf Dhanoun (1976). The Iraqi Cultural Centre, Londres. L'arabe est la langue du Coran et le fidèle se doit de connaître au moins les versets coraniques essentiels dans la langue sacrée.*

En bas : Lecture du Coran dans une mosquée du Caire. C'est seulement dans les dernières années de sa vie que Mahomet entreprit de dicter à ses compagnons le Coran, jusque-là transmis oralement.

Double page précédente : Détail de la décoration en mosaïques de la mosquée de l'imam à Ispahan, Iran.

Le Coran est le suprême témoignage de la Révélation, le Verbe de Dieu, le texte sacré par excellence. Recueil du message divin adressé à l'homme, Révélation faite au Prophète alors qu'il s'était retiré pour méditer dans une grotte du mont Hira, près de La Mecque, il régit également l'ordre selon lequel s'organise la vie du musulman.
En arabe, *Qor'an* signifie "récitation", "lecture". L'arabe est la langue de la Révélation et elle lui est consubstantielle. Les sonorités, les inflexions, le chant de l'arabe, indissociables de son rôle liturgique, de sa fonction dans la Révélation, en font la langue sacrée de l'islam.

Le Coran ne s'adresse évidemment pas seulement aux Arabes, mais les textes incantatoires dits dans les prières, qui sont les fondements du culte, ainsi que les versets coraniques, doivent être appris et récités en arabe, la seule langue qui n'en trahisse pas le message. Le Coran, racine vivante du savoir métaphysique et religieux, trouve dans la langue archaïque, une puissance suggestive inégalable et la profondeur de chef-d'œuvre de la littérature arabe : "Par l'Écrit explicite / nous l'avons fait Coran arabe, escomptant que vous raisonniez / aussi demeure-t-il, sagesse sublime, dans l'Original en notre sein" (Coran XLIII, v. 1-4). Le Coran est la manifestation de la parole unique de Dieu, la troisième après la Torah des juifs et l'Évangile chrétien ; c'est pourquoi les croyants de ces trois religions sont appelés *Ahl al-Kitâb*, "gens du Livre", ou "de la Révélation".
Du temps où le Prophète était encore en vie, la sauvegarde du Coran était remise entièrement à la mémoire des fidèles qui récitaient les prières, et à

l'étude par cœur de tous ceux qu'on a appelés "réceptacles vivants du Coran". C'est seulement dans les dernières années de sa vie que Mahomet entreprit de dicter la Révélation à ses compagnons "secrétaires", un témoignage fragile que ni le temps ni les rajouts et les substitutions à l'original des écrits apocryphes n'ont épargné. On doit au premier calife, Abou Bakr, l'initiative de la recension du Coran. Ce n'est qu'à la suite des tumultes liés aux apostasies qui suivirent la mort du Prophète, des guerres de conquête où moururent nombre de ses compagnons et des luttes contre les faux prophètes, qu'on commença à craindre la perte du Livre sacré. Le deuxième calife, Omar, et Zayd bint Tabet, le secrétaire et recenseur du Prophète, établirent alors un recueil plus complet dont il fut fait par la suite quelques copies. Enfin, Othman, le troisième calife, ordonna la rédaction d'une vulgate officielle fondée sur le texte de Zayd, l'ordre de détruire en même temps toutes les autres recensions venant confirmer le caractère canonique

L'arabe, langue de la Révélation.
Il est déjà explicitement fait mention de cette consubstantialité dans le corpus coranique : "C'est véritablement Révélation opérée par le Seigneur des univers / transmise par l'Esprit fidèle / à ton cœur,

pour que tu sois entre tous un donneur d'alarme / en claire langue arabe / et dont il est fait sûre mention dans les Écritures sacrées des Anciens" (Coran XXVI, v. 192-196).
Le Coran est le passeur de la langue arabe et c'est par lui qu'elle a pu devenir la

langue véhiculaire des musulmans et se transmettre jusqu'à nos jours. Sa syntaxe et son lexique ont été précisés et codifiés au cours du temps. Le Coran est le chef-d'œuvre majeur de la langue arabe et considéré comme un miracle de l'islam par sa puissance expressive.

de cette rédaction. L'ordre interne du Coran ne suit pas l'ordre chronologique de la Révélation : les chapitres sont ordonnés selon leur longueur, du plus long au plus court, sauf le premier. Le Coran est divisé en 114 sourates ou chapitres et chaque sourate est divisée elle-même en *âyât* ou versets : la deuxième sourate compte 286 versets, les dernières en ont de trois à six. L'ensemble est composé d'un peu plus de 6 000 *âyât* de longueurs inégales. Dans l'écriture comme dans leur lecture, les sourates sont précédées par la formule : *Bismi-Allahi ar-Rahmâni ar-Rahîmi*, "Au nom de Dieu, le Clément, le Miséricordieux", qui devint plus tard la formule d'ouverture de tout écrit musulman et de tout acte du culte. La sourate qui ouvre le Coran, appelée précisément *Fatiha*, "l'Ouvrante", est une prière brève au rôle primordial dans le culte comme dans la vie. Les toutes premières sourates révélées à La Mecque sont appelées *makkiyate*, "mecquoises"; elles sont plus brèves que

celles qui, révélées à Médine, sont dites *madaniyyate*, "médinoises". La place que ces dernières donnent au développement ayant trait à l'organisation publique résulte de la multiplication du nombre de fidèles et des problèmes que doit affronter la nouvelle *oumma*, "communauté". Le Coran passe de l'exhortation morale et religieuse à l'organisation sociale du nouvel État, de la méditation sur la destinée de l'homme à l'institution de la société. Si le registre des préoccupations diverge sensiblement, l'amélioration de l'homme demeure la préoccupation cardinale. Dieu lui-même régit l'activité humaine, en tant qu'elle est dirigée vers la recherche de la perfection. L'idéal de justice est décliné de la suprématie de la Loi morale, Loi que l'homme ne peut ni faire ni défaire selon son bon plaisir, car son fondement est en Dieu. Dans le texte sacré, à l'intérieur même du message religieux, on trouve : une théorie de la nature de la réalité, un ensemble de prescriptions morales et juridiques qui

constituent la base de la Loi, une théologie, une cosmologie. Au centre est le concept de Dieu, comme Créateur et Seigneur de l'univers, et dont les attributs de puissance et de miséricorde ne doivent pas s'entendre isolément mais doivent être conçus dans leur unité. Le Coran souligne l'importance de la prière, il enjoint de jeûner, impose la *zakat*, "l'aumône légale", prescrit le pèlerinage à La Mecque au moins une fois dans la vie. Il appelle aussi

Coran manuscrit en caractères coufiques sur parchemin (VIIᵉ siècle). Musée d'art turco-islamique, Istanbul.

En bas : Calligraphie d'un verset coranique en style diwani de Youssouf Dhanoun (1981). The Iraqi Cultural Centre, Londres.

Son rôle prééminent dans l'existence de la littérature arabe n'est pas seulement originaire mais perdure encore de nos jours. L'*I'jâz*, "le caractère inimitable du Coran", est un dogme admis par toutes les écoles qui concerne le message et la stylistique du Livre.

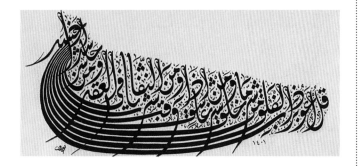

au *djihad*, concept complexe qui ne prend le sens d'appel à la guerre que dans certains cas, mais dont la signification générale est l'effort de perfectionnement dans la voie de Dieu par le don de soi et de ses biens. Cette notion d'effort sans restriction s'applique à la prière, à la *zakat*, à l'énergie avec laquelle on désire le bien et on exècre le mal, et, par extension, à la guerre, à laquelle il ne peut être recouru que dans des circonstances particulières et dans l'unique but de l'expansion de l'islam.

Le Coran revient de façon récurrente sur la proscription du *riba*, "l'usure", du *maysir*, "jeux de hasard", et de la consommation d'alcool : "Satan ne veut qu'embusquer parmi vous la haine et l'exécration sous forme d'alcool et de jeux…" (Coran V, v. 90-91). La chair des animaux morts, le sang versé et la viande de porc sont l'objet d'une interdiction formelle : "Dis : je ne trouve pas dans ce qui m'est révélé d'interdiction à un mangeur de manger, sauf si c'était de la charogne, du sang répandu, de la viande de porc, car c'est souillure, ou encore l'infamie dont il est fait oblation à un autre que Dieu" (Coran V, v. 145).

Le Coran est avant tout un livre de principes et d'admonitions religieuses et morales. Toutefois, il donne des directives juridiques fondamentales sur les questions de l'esclavage, de la condition de la femme, du mariage, de la famille, des règles de succession.

Pour la condition de la femme, si elle reste celle d'une personne sous tutelle, au même titre que les enfants, elle est améliorée par rapport à la situation préislamique. Les époux sont complémentaires : "Ne sont-elles pas votre vêture et vous la leur ?" (Coran II, v. 187). Les mêmes droits sont reconnus à la femme et à l'homme, même si ce dernier bénéficie d'un statut privilégié. Concernant la polygamie, elle se révéla être une base solide pour la famille dans la mesure où elle était soumise à une loi.

La génération qui suivit la mort du Prophète se garda d'interpréter le texte sacré. Mais la nécessité d'y apporter de nombreux commentaires s'imposa rapidement en raison de l'extension de l'État islamique et de la diversification de sa composition ethno-culturelle, et parce que les controverses suscitaient un mouvement de retour aux origines, à la tradition, aux personnes, aux circonstances de la Révélation. Ce qui

Une immense narration.
Le Coran renferme un enseignement, mais aussi de nombreux récits historiques : il raconte l'histoire de peuples, de tribus, de rois, de prophètes et de saints, les aventures bibliques de Noé, d'Abraham, de Joseph et de Moïse, l'histoire de la naissance et de l'enfance de Jésus, des épisodes postbibliques et transmet les trésors de la sagesse populaire arabe ; son message nous concerne tous, en tous temps et en tous lieux.

conduisit à la rédaction de l'*'ilm at-Tafsîr*, le "commentaire scientifique du Coran". Cette œuvre de Tabari (838-922), qui constitue le commentaire le plus important, se fonde sur les témoignages de la première génération. D'autres commentaires d'inspiration soufi ont une visée plus ésotérique. Les commentaires du Coran ont permis de poser des questions et d'y apporter des réponses nouvelles. Selon le grand théologien Ibn al-Qayym (m. 1350), la Révélation suit un ordre hiérarchique. Parfois, l'archange Gabriel s'unit avec le Prophète et verse la Révélation directement dans son cœur : "...Transmis par l'Esprit Fidèle / sur ton cœur, pour que tu sois entre tous un donneur d'alarme" (Coran XXVI, v. 192-194). À d'autres moments, Gabriel se présente à Mahomet sous sa forme angélique pour lui dicter les versets. On atteint le mode le plus intense de la Révélation quand elle a lieu sans médiations et que le Prophète, dans un état semblable à l'extase, reçoit directement la parole de Dieu. La Révélation est

alors un bouleversement non seulement spirituel mais aussi physique, qui peut se manifester par des sonneries de cloches, des sifflements ou des fièvres violentes qui lui font perdre conscience et le laissent trempé de sueur.
La force et l'intensité de la Révélation sont décrites dans le Coran de la manière suivante : "Si Nous avions fait descendre le Coran sur une montagne, on aurait vu celle-ci s'humilier et se fendre dans la crainte de Dieu" (Coran LIX, v. 21).

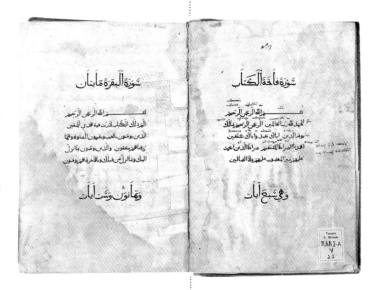

Coran imprimé à Venise en caractères arabes par Paganino et Alessandro Paganini (1537-1538). Biblioteca dei Frati Minori di San Michele in Isola, Venise.

À gauche : École coranique sunnite à Torbat-e Jâm, Iran.

En bas : Édition moderne du Coran.

Les écoles coraniques.
L'enseignement et les commentaires du Coran avaient lieu soit dans les cours intérieures, soit sous les arcades ou dans tout lieu de forme circulaire de la mosquée. Dans les grandes villes comme dans les villages, les écoles coraniques, les *madrassa*, ont été souvent les seules écoles qui existaient. Les enfants apprenaient à lire, à écrire et à réciter par cœur le Coran. Aujourd'hui encore, dans les petits villages, c'est à l'école coranique qu'est donnée l'instruction élémentaire.

Détail d'une miniature turque du XVIIIe siècle. Musée d'art turco-islamique, Istanbul.

En bas : Le nom de Mahomet dans une gravure populaire moderne. Les récits de la vie de Mahomet se trouvent dans les hadiths, *exemples de vie pour les musulmans. La* sunna *est la norme religieuse qui en découle.*

Messager de Dieu, interprète par excellence du Coran, le Prophète fut aussi au cours de sa vie l'unique guide religieux et politique des musulmans. Son passage sur terre, ses souffrances, ses peines, ses difficultés et ses épreuves se trouvent dans les *hadiths*, les "récits", qu'il a transmis, et dans la *sunna*, qui rapporte les faits de sa vie quotidienne et répond aux questions que doivent se poser les musulmans dans leur vie individuelle et collective.

Après la mort du Prophète et de ses compagnons, entre les VIIe et VIIIe siècles, les premiers cénacles théologiques apparaissent et on commence à rassembler les *hadiths*, ce qui va donner la possibilité de développer la Loi.

Mais, pour les musulmans, la nature de l'autorité coranique est différente et plus importante que celle du Prophète : il n'en est que le véhicule. Le Coran invite tous les croyants à obéir au Messager de Dieu. Le Coran prône l'imitation du Prophète dont la conduite religieuse et sociale est un modèle pour le musulman et pour toute la communauté dont il fait partie. Le Prophète lui-même faisait une distinction nette entre ses propres dires et ceux du Coran. Mais c'est uniquement dans des situations extraordinaires que l'on a recours au Coran pour corroborer les décisions du Prophète.

Après le Coran, les *hadiths* sont la source la plus importante de la *chari'a*, "la Loi", et de la *Tariqa*, "le chemin mystique". Cet enseignement destiné à tous est le modèle sur lequel se règle la vie pratique et quotidienne dans ses moindres détails et la source de ce qui peut unir des peuples divers.

Au sens littéral, *hadith* signifie "dires", "récit", "propos". Le *hadith* est composé d'un *matn*, "texte", et d'un *isnâd*, la "chaîne de transmetteurs", qui accrédite le texte par la généalogie des rapporteurs. Il faut comprendre qu'un *hadith*, ou récit verbal d'une tradition religieuse, nous oriente naturellement vers une *sunna* qui est la norme de pratique religieuse correspondante. On appela *sunna* précisément la transmission non verbale, silencieuse ou vivante.

Le mot *sunna* signifie "voie", "sentier", "figure", "linéaments", mais il a pris le sens de "conduite du Prophète". Les spécificités de la pratique de l'islam sont précisées dans la *sunna*. Par exemple, si le Coran impose l'obligation de la prière et du jeûne, les consignes précises d'exécution se trouvent dans l'exemple du Prophète et dans les instructions rapportées par la *sunna*. Le corpus des *hadiths* constitue une partie fondamentale de la *sunna* du Prophète.

Les *hadiths* ont été transmis par nombre des compagnons de Mahomet.

À la mort du dernier, les *at-tâbi'oun*, les "suivants", les "disciples", qui avaient vécu avec les compagnons et recueilli les *hadiths* de vive voix, continuèrent la chaîne et les transmirent eux-mêmes à leurs disciples. Certains des *hadiths* avaient été écrits par des compagnons sur des feuillets, connus sous le nom de *sahifah*.

Vers le milieu du IXe siècle la collection des *hadiths* reçut sa forme définitive, après une enquête, dont la seule phase initiale s'est étendue sur une période de trois générations.

Le hadith d'Aïcha.
Mahomet s'engagea activement dans la vie sociale, il se maria, il engendra et fut ami de ses enfants ; il fut aussi législateur, juge et même guerrier, le cas échéant. Dans un *hadith* que l'on attribue à Aïcha, à la question : "Dans la maison, quels travaux faisait le Prophète ? – que Dieu le bénisse et lui donne le salut éternel", elle répondait : "Il aidait sa famille et quand il entendait l'appel à la prière, il s'y rendait."

L'obéissance au Prophète. "Obéir à l'Envoyé, c'est obéir à Dieu…" (Coran IV, v. 80) car : "Tu les guideras sur une voie de rectitude / la voie de Dieu…" (Coran XLII, v. 52-53). Nombreux sont les versets ordonnant l'obéissance.

Il a fallu attendre que le corpus des *hadiths* soit établi pour que la fonction juridique de la *sunna* pût commencer à s'exercer. C'est le juriste Muhammad al-Chafii, fondateur d'une des quatre écoles juridiques traditionnelles de l'islam et mort en 820, qui imposa l'usage normatif de la *sunna* du Prophète en lui attribuant un degré d'autorité élevé tout de suite après celle du Coran. Seuls cinq des recueils furent décrétés unanimement *Sahîh*, "authentiques". Le plus important est le *Sahîh* de Boukhari al-Jou'fi (810-870). D'autres furent rédigés un peu plus tard : le *Sahîh* de Mouslîm (816-875), le *Sonnan* d'Abou Dawoud (m. 889), le *Sahîh* d'at-Thirmidî (824-892), et le *Sonnan* d'An-Nasa'î (m. 915). Parmi les autres recueils il faut rappeler aussi le *Sonnan* d'Ibn Maja (m. 886), le *Mouwatta'* de Malik ibn Anas (712-795), le *Mousnad* d'al-Dârimâ (m. 869) et celui du juriste Ibn Hanbal (780-855). Aux récits du Prophète les chiites ajoutent ceux des imams, dont l'enseignement illustre la signification du message prophétique. Le recueil le

plus important est celui d'al-Koulayni (m. 941), connu sous le nom de *'Ousoul al-Kafi*. Cependant, le nombre des *hadiths* apocryphes allait croissant. De faux *hadiths* avaient déjà eu cours à l'époque de la vie du Prophète. Devant la gravité des faits, les savants islamiques créèrent une méthode d'exégèse connue sous le nom de *'ilm al-hadith* ou "science des *hadiths*" et qui est divisée en deux branches : l'*ilm al-djarh*, spécialisée dans l'examen des *hadiths*, et l'*ilm al-diraya*, qui contrôle l'authenticité de leur transmission. L'exégèse a abouti à une classification des *hadiths* selon les critères du nombre des *isnâd* et de leur validité intrinsèque et extrinsèque, référée à un lexique spécialement constitué au cours de la recherche. Quand l'autorité est le Prophète lui-même, le *hadith* est *marfou'*, "élevé"; s'il est d'un compagnon, il est considéré *mawqouf*. Quand il comporte une expression inaccoutumée et insolite, il est appelé *garib*. Il faut distinguer un genre très spécial de *hadiths*, appelés *hadiths qodsî*, "sainte

tradition", non soumis aux classements précédents. Leur texte n'est pas dû au Prophète, il est la Parole même de Dieu confiée à l'inspiration de Mahomet et transmise par lui sans commentaires.

Détail d'un triptyque en bois avec la description du Prophète (Turquie). Museo d'Arte Orientale, Rome.

La transmission des hadiths.

En seulement quatre ans, le fidèle serviteur du Prophète, Abou Hourayra, converti tardivement à l'islam en 628, recueillit un plus grand nombre de *hadiths* que tous les autres. Il mourut à Médine en 678, après avoir

assumé des fonctions importantes dans l'État islamique. Une autre contribution éminente provient du fils du second calife Omar, Abdullah, qui mourut à La Mecque en 692. On doit aussi des *hadiths* à Anas ibn Malik, figure d'un intérêt majeur

qui se mit au service du Prophète dès son plus jeune âge et mourut très vieux, en 711, à Bassora. Aïcha, l'épouse favorite, qui joua un rôle important dans l'islam après la disparition du Prophète, nous a transmis aussi un grand nombre de *hadiths*.

Deux lettrés. Miniature syrienne (1229). Musée Topkapi, Istanbul.
La sunna *réunit les épisodes de la vie du prophète et ceux-ci ont valeur d'exemple. C'est donc de l'étude de la* sunna *que dérive la* chari'a, *la Loi islamique.*

En bas : Abattage d'un animal. Détail d'une plaquette d'ivoire (Égypte, XIᵉ-XIIᵉ siècles). Museo del Bargello, Florence. Les normes d'abattage imposées sont d'origine sémite.

À travers l'application et l'élaboration des préceptes coraniques se développa la science du droit islamique, *fiqh*. Le rôle du *fiqh* est d'établir la connaissance des Lois de Dieu qui concernent les actes de tout musulman responsable selon un classement qui va de l'obligatoire à l'interdit. Le mot *chari'a* vient d'une racine qui signifie "voie tracée", c'est-à-dire "chemin clair et défini" qui mène à Dieu. La *chari'a* est l'ensemble des commandements religieux qui régissent le comportement de l'homme musulman pour toutes ses activités privées et sociales. Les quatre fondements de la Loi islamique sont : le Coran et la *sunna* du Prophète, les principes substantiels, le *qiyas*, "raisonnement analogique", et l'*idjmâ'*, "principe formel". La *chari'a* est divisée en deux parties : '*ibâdât*, les "actes dévotionnels", et *mou'amalât*, les "actes humains relationnels". Tant que le Prophète était en vie, son autorité pouvait être invoquée pour résoudre chaque situation. Sous les quatre califes qui lui succèdent, la *sunna* est appliquée. Mais, s'agissant d'administrer un nouvel État en pleine expansion, il fallait tenir compte de la pratique administrative et du droit en vigueur dans les deux empires préislamiques, byzantin et sassanide. Le rôle des califes n'étant pas d'appliquer la Loi divine mais d'administrer l'empire, la fonction de *cadi*, "juge", fut instituée. C'est à ce dernier que revient, pendant tout le règne des Omeyyades, la charge de faire respecter la *chari'a*.

Normes alimentaires.

La Loi islamique interdit la viande de porc, le sang et la chair des animaux qui n'ont pas été abattus selon le rite islamique. L'islam ne modifia pas notoirement les habitudes alimentaires arabes préislamiques, mais introduisit l'abattage rituel, d'origine sémite. Il consiste à prononcer la formule *Basmallah*, "au nom d'Allah", avant de trancher net la gorge de l'animal et de faire couler la plus grande quantité de sang possible. La viande tuée ainsi est *halal*, "permise". Par analogie, les traités juridiques énumèrent toute une série d'aliments permis ou non, avec des variantes minimes selon les écoles. La chair des poissons et des sauterelles est autorisée même si l'animal est déjà mort. Le sang versé est interdit, alors que le foie et la rate

Mais le risque de s'éloigner progressivement des principes islamiques impose la nécessité de recourir à un corpus juridique pour y remédier.
Un processus de purification du droit coutumier islamique et de codification des lois conformes à l'enseignement du Coran et des *hadiths* prophétiques est amorcé sous le règne des Abbassides. Le rôle de la *sunna*, fondamentale dans le raisonnement juridique, est prolongé par le *rayi*, le "jugement personnel", de caractère rationnel, lequel est à son tour renforcé par le *qiyas*, le "raisonnement analogique", qui consiste à rapporter une situation présente à une situation précédente pour laquelle il existe déjà une loi. Afin d'éviter toute possibilité de dissension interprétative, on a recours à l'*idjmâ'*, "le consensus unanime des docteurs de la Loi".
Le lien entre *sunna* et *idjmâ'* est fait par le raisonnement systématique de l'*ijtihad*, "la pensée systématique originale".
Les seules personnes compétentes en la matière sont les *oulémas*, "lettrés", "savants religieux".

Après le IXe siècle, l'*idjmâ'* se cantonne dans la recension des opinions juridiques existantes.
La faculté d'exercer un *ijtihad* absolu est réprimée – excepté pour les grands personnages, comme Ibn Taymiya (m. 1328) – seul un droit d'*ijtihad* relatif étant autorisé.
La multiplication des opinions juridiques conduira à la constitution de *madahib*, "écoles juridiques".

On doit la fondation des premières écoles de la Loi à deux grands juristes : Abou Hanifa (700-767) à Koufa en Irak, et Malik ibn Anas (712-795) à Médine. Ils s'appuient sur de longues et minutieuses études du Coran et des *hadiths*, et se réfèrent constamment aux faits de la première génération de compagnons. Les premiers à lier la doctrine, issue des usages régionaux et du consensus, avec l'autorité de Mahomet sont des juges irakiens qui

Étude à l'université d'Abou Dhabi, Émirats arabes unis. La connaissance des lois divines qui dirigent le comportement du croyant est appelée djiqh.

sont autorisés. Il est interdit de manger tout ce qui n'a pas été sacrifié à Allah. Les dattes sont un aliment de prédilection pour les musulmans et elles sont recommandées pour rompre le jeûne, comme le faisait habituellement le Prophète.

L'alcool est interdit par la Loi islamique selon le verset : "Vous qui croyez, l'alcool, le jeu d'argent, les bétyles, les flèches (divinatoires) ne sont que souillure machinée de Satan… Écartez-vous-en, dans l'espoir d'être des triomphants" (Coran V,

v. 90). De même, toutes les boissons fermentées et toutes les drogues en général sont interdites. La sourate étend l'interdiction à tous les types de jeu de hasard et impose aux hommes de s'abstenir de porter des vêtements de soie et des parures en or.

ont imposé la *sunna* du Prophète. Avec eux les *hadiths* auront une plus grande importance et ils prendront d'ailleurs une place croissante dans les textes juridiques.

Les *hadiths* authentiques, recueillis dans un corpus séparé, sont adjoints à la *sunna*, dont le degré d'autorité est réévalué et estimé inférieur à celui du Coran, et qui devient une des bases du *fiqh*.

Al-Chafii (768-820), le grand juriste élève de Malik ibn Anas, franchit un pas décisif dans l'élaboration d'une théorie du droit islamique en fondant la troisième école juridique sunnite. Il confirme la valeur de l'*idjmâ'* et du *qiyas* mais il récuse l'appréciation personnelle et il réhabilite la Tradition en redonnant aux *hadiths* un rôle fondamental dans l'établissement de la *chari'a*. Il donne à la jurisprudence islamique son organisation définitive en étendant le champ de référence de la jurisprudence que ses prédécesseurs ont limitée aux *oulémas*, les autorités compétentes.

Pendant la période abbasside, les dissensions d'opinion sur certains principes de la *chari'a* dégénèrent en conflit ouvert. Le calife al-Mamoun (813-833) oblige les juges les plus compétents à accepter la doctrine du "Coran créé". Vers le milieu du IXe siècle, l'évolution de la situation politique favorise la création d'une quatrième école juridique : le traditionaliste Ahmad ibn Hanbal (780-855) prend position en faveur de l'acceptation pieuse de la parole incréée de Dieu. L'enseignement d'Ibn Hanbal, qui eut un grand succès jusqu'au XIVe siècle, est fondé uniquement sur le Coran et les *hadiths*. Au XVIIIe siècle, les wahhabites s'inspirèrent de cette doctrine qui refuse l'interprétation rationaliste de la Révélation. À côté du Coran, cette école ne reconnaît que l'autorité de la *sunna*, source de la *chari'a*, et de l'*oumma*, la "communauté", dont les décisions s'imposent au calife. Même si on constate de nombreuses divergences sur les fondements de la Loi, il faut reconnaître que l'importance donnée à la Tradition est un trait commun à toutes les écoles.

Les imams, interprètes de la Loi.
Pour les chiites ce sont ceux qui ont atteint un degré élevé de connaissance et de pratique de la Loi, et qui ont droit de faire valoir leur opinion personnelle dans les questions légales, par l'*ijtihad*. La Loi est interprétée au nom et en l'absence physique de l'imam *ghâ'ib*, "occulté".

Les écoles juridiques fondamentales reconnues par les sunnites sont donc au nombre de quatre. L'école hanafite, adoptée par les Abbassides, qui fut aussi l'école officielle de l'Empire ottoman, très répandue en Turquie, dans la partie orientale du monde arabe, en Inde et au Pakistan. C'est l'école la plus libérale, dont se réclame environ la moitié des musulmans. L'école malékite, qui est prédominante dans toute l'Afrique du Nord. L'école chafiite, qui a toujours été présente en Égypte, un peu en Syrie, au Bahreïn et en Indonésie. L'école hanbalite, qui compte un nombre restreint de disciples, a été longtemps représentée en Égypte et en Syrie : c'est de là qu'est parti le mouvement wahhabite. La création d'écoles juridiques dans le monde chiite remonte au sixième imam, descendant d'Alî, Dja'fâr as-Sâdiq (699-765). Pour les chiites, à la différence des sunnites, les imams sont les interprètes de la Loi, et leurs faits et dires ont une valeur équivalente à celle des *hadiths*. Pour les sunnites, au contraire, la "porte" de l'*ijtihad* s'est fermée après l'organisation

définitive des quatre écoles juridiques au Xe siècle, laissant peu de liberté d'utilisation de l'*idjmâ'*. Depuis la fermeture de l'*ijtihad* et jusqu'à l'époque moderne, le droit islamique a été réglementé par les traités de *fiqh*. Pour tous les cas nouveaux et compliqués, on a recours à la *fatwa*, "avis religieux", exprimée par un *fadji*, jurisconsulte préposé à cette tâche et connu sous le nom de mufti. Son rôle n'est pas nouveau car depuis des siècles les gouverneurs musulmans avaient nommé des *muftis* officiels dans les provinces et dans les grandes villes. Le *mufti* n'innove en rien, il se contente d'expliquer et de rendre applicables aux cas particuliers les prescriptions des traités de *fiqh*. Pour le *fiqh*, un acte peut être classé juridiquement selon cinq degrés : *fardh*, obligatoire, *moustahab*, recommandé, *moubah*, toléré, *makrouh*, blâmable, *haram*, strictement interdit et puni par la Loi. En vertu d'un *hadith* du Prophète, la foi islamique repose sur cinq *arkân*, "piliers" ou "fondements de la foi". Il s'agit de cinq obligations

essentielles dans la relation entre Dieu et l'homme. L'ensemble des pratiques liturgiques et des actes de dévotion que doit accomplir le musulman est la partie la plus importante de la *chari'a*.

Étude dans la salle de prière du centre islamique de Rome.

Sunnites et chiites.
Pour ce qui concerne l'enseignement spécifique de la *chari'a*, les écoles sunnite et chiite ont quelques divergences, portant par exemple sur les questions de succession et sur la condition de la femme. Concernant

l'organisation politique, alors que pour la *chari'a* imamite il ne peut y avoir de gouvernement parfait en l'absence du *mahdi* – le douzième imam, l'imam caché –, pour les sunnites, le califat est la forme légitime de gouvernement car le calife est le

lieutenant du Prophète et a le devoir d'administrer la Loi divine. Après la prise de Bagdad par les Mongols, le symbole de l'unité politique de l'islam que représentait jusqu'alors le califat est anéanti, et le dernier facteur de l'unité reste exclusivement la *chari'a*.

Tapis de prière Koula (Anatolie, XVIIe siècle). Le dessin du mirhab doit être dirigé vers La Mecque. La prière, un des cinq piliers de l'islam, peut être faite dans n'importe quel lieu. De là le rôle central des tapis de prière.

En bas : Ablution des pieds qui précède l'entrée dans la mosquée. Mosquée de Muhammad Alî, Le Caire.

La pratique religieuse impose au musulman cinq obligations essentielles, cinq "piliers" : la profession de foi ou *chahâda*, la prière canonique ou *salât*, "l'aumône légale" ou *zakat*, le jeûne de ramadan ou *sawm*, et le Grand Pèlerinage à La Mecque ou *Hâjj*.

Chahâda, la profession de foi

Dans l'ordre de priorité donné par les *hadiths* du Prophète, la profession de foi est le premier devoir du croyant. Il ne s'agit pas là d'une adhésion intérieure, mais de l'acte formel qui consiste à prononcer la phrase : "J'atteste qu'il n'y a de Dieu que Dieu et que Mahomet est le Prophète de Dieu." Après une courte formation, il suffit de prononcer cette déclaration précédée de la *niyya*, "formulation d'intention", devant témoins pour faire partie de la communauté islamique.

Salât, la prière

Le devoir le plus important est la *salât*, les "prières rituelles quotidiennes". Le terme en arabe ne désigne pas la prière du cœur, intime et libre, mais l'adoration rituelle, canonique.

Les prières sont au nombre de cinq, précédées d'un *adhan*, "appel", et du *woudou*, les "ablutions" rituelles, nécessaires à la purification de l'âme et du corps pour pouvoir se présenter devant Dieu. Doivent également être purs les vêtements que l'on porte et le sol sur lequel on prie. Les objets ou les matières considérés impurs par la Loi sont : les excréments humains et animaux, le porc, les boissons enivrantes, le sang et les animaux tués non rituellement.

On prie à l'aube, à la mi-journée, dans l'après-midi au point médian entre le zénith et le coucher du soleil, au couchant et le soir après le crépuscule.

Le Coran fait plusieurs fois mention de l'obligation des prières canoniques sans s'étendre sur les détails du rite : "Accomplissez la prière, acquittez la purification, inclinez-vous avec ceux qui s'inclinent" (Coran II, v. 43).

En fait, le déroulement de la *salât*, "prière", "adoration", obéit à un rituel enseigné par le Prophète dans son *hadith* : "Accomplissez la prière comme vous m'avez vu l'accomplir."

L'obligation de la prière incombe à tout musulman pubère en pleine possession de ses facultés mentales. Après s'être tourné vers la *Kibla*, "la direction de La Mecque", le fidèle doit prononcer la *niyya*, suivie du *takbîr*, l'énonciation du *Allahou akbar*, "Dieu est le plus grand", dans la position appelée *qiyâm*, debout en élevant les mains ouvertes à hauteur des épaules. En prononçant cette phrase, l'orant se trouve en état de sacralisation et il lui est interdit de faire d'autres mouvements que ceux de la prière, comme parler, rire, se retourner, etc., sous peine d'entacher la prière de nullité.

Immobile dans la position du *qiyâm*, l'orant prend son poignet gauche dans la main droite. Il continue par la récitation de la première sourate du Coran, la *Fatiha*, "l'Ouvrante", close par un *amin* absent du texte coranique, qu'il fait suivre par au moins trois versets courts, au choix du fidèle. Après le *takbîr*, le corps se plie en avant de façon que les paumes viennent se

La niyya. Prescrite par la Loi, la *niyya*, la "formulation d'intention", a un rôle fondamental pour préluder à tout acte du culte et aucun de ces actes ne peut être considéré comme valide si celle-ci n'a pas été prononcée auparavant.

poser sur les genoux dans la position appelée *roukou'*, et l'orant prononce par trois fois une brève formule de glorification. Puis il se redresse et prend la position dite *soudjoud*, "prosternation", qui consiste à poser les mains au sol, puis le front sur les mains en prononçant encore trois fois une formule de glorification. Vient ensuite la position appelée *joulous*, "assise", où il se tient accroupi sur les talons, les mains posées sur les cuisses ; il fait un autre *soudjoud*, avec trois glorifications. Et il termine ainsi la première unité de prière, ou première *rak'a*. Il revient à la position debout pour commencer la deuxième *rak'a*. À la fin, l'orant reste à genoux, en position de *joulous*, pour réciter les *tahiyyât*, "l'éloge du Prophète", suivies de la répétition de la profession de foi, la *chahâda*.
Pour conclure la prière, il tourne la tête d'abord à droite, puis à gauche pour dire le *taslim*, la "salutation de paix".
La prière de l'aube comporte deux *rak'a*, celle du crépuscule en compte trois. Les autres prières en comportent quatre. La prière se fait n'importe où, à un moment prescrit, seul ou en groupe, mais la dévotion communautaire est recommandée. La Loi exige que la prière soit faite dans la mosquée et en commun le vendredi à midi. Elle est précédée par la *khoutba*, le "prône à contenu moral et religieux", dite par un *khatib*, "prédicateur", qui prêche soit en chaire, soit simplement debout. Selon le droit islamique classique, le vendredi est considéré comme un jour de fête, sans entraîner pour autant l'interdiction du travail. D'autres prières qui doivent accompagner des fêtes importantes sont prescrites par la Loi.

Zakat, "l'aumône légale"
Le troisième pilier de l'islam, la *zakat*, "l'aumône légale", est l'un des devoirs religieux essentiels. C'est en quelque sorte d'une dette envers Dieu que le musulman s'acquitte en échange des biens qu'Il lui a octroyés. Cette aumône purifie et légitime les possessions. Comme pour les autres obligations, il est fait mention de la *zakat* dans le Coran, mais le détail en est précisé par les *hadiths* du Prophète et par la Loi.

L'ordre divin est tout à fait explicite : "Accomplissez la prière, acquittez la purification" (Coran II, v. 43).
Le Coran détermine aussi les catégories de personnes à qui l'aumône doit être faite : "Les aumônes ne doivent revenir qu'aux besogneux et aux indigents, à la rétribution des collecteurs, au ralliement des bonnes volontés, à affranchir des nuques (esclaves), à libérer des insolvables, à aider au chemin de Dieu et à secourir le fils du chemin : autant d'obligations de par Dieu

La prière dans une rue de Bagdad. L'homme est dans la position du soudjoud *(prosternation).*

En bas : Page d'un livre de prière. En rouge le nom du Prophète. La lecture du Coran, l'énonciation du nom d'Allah et les louanges du Prophète font partie de la vie quotidienne de tout musulman.

Woudou et ghousl, la purification.
Le seul fait de toucher des choses impures ou bien de toucher la peau d'une femme qui ne fait pas partie de la famille ou d'un animal entraîne un état d'impureté qui interdit l'exécution de la prière, la circumambulation autour de la Kaaba et le contact physique avec un exemplaire du Coran. On abolit l'état d'impureté par le *woudou*.
Les rapports sexuels, la période menstruelle de la femme ainsi que les quarante jours qui suivent l'accouchement sont considérés comme une souillure majeure. Cet état d'impureté est aboli par le *ghousl*, "grande ablution", équivalente du bain.

Recueillement dans la mosquée d'Eyoub à Istanbul.

En bas : Le verset du Coran concernant la zakat.

fruits, le bétail, l'or et l'argent, les marchandises et les bijoux. En cas d'accumulation de biens en or, en argent et en marchandises, on prélève 2,5 % par an de la valeur courante sur le marché. Par exemple, le *nisab*, pour l'or qui n'entre pas dans une activité commerciale, équivaut à une valeur de 96 g d'or : c'est sur cette valeur que l'on prélèvera les 2,5 %. L'impôt est fixé au dixième de la valeur des produits agricoles, sauf quand les cultures comportent des frais d'irrigation, auquel cas il est réduit au vingtième. La jurisprudence islamique réglemente avec précision, selon un barème détaillé, l'impôt dû pour le bétail ; pareillement pour toutes les formes de richesses immobilières, possessions en terres, jouissances de richesses naturelles… Il est précisé que les collecteurs d'impôts doivent avoir les qualités requises par la loi, que les bonnes volontés que l'on doit rallier sont celles de citoyens éminents qui pourraient agir en faveur de l'islam, mais dont le zèle envers la foi est encore faible. L'impôt peut encore être dévolu aux

esclaves qui désirent s'affranchir et aux débiteurs qui ont contracté une dette dans un but louable et ne peuvent pas la rembourser. Le reste doit contribuer au bien public et à la cause d'Allah, c'est-à-dire "l'effort accompli sur la Voie et pour la Cause d'Allah", et, enfin, à aider les pèlerins.

Sawm, le jeûne
Le jeûne pendant le mois sacré de Ramadan est le deuxième acte fondamental du culte, obligatoire pour tous les musulmans hormis quelques cas d'exemption. La loi exempte les mineurs, les vieillards, les malades mentaux ou chroniques, ceux qui tombent malades, les voyageurs, les femmes enceintes ou qui allaitent, les personnes d'un certain âge pour qui le jeûne pourrait comporter un risque. Le jeûne est interdit aux femmes musulmanes menstruées ou qui relèvent de couches. Quand les causes qui justifient l'abstention ou l'interdiction cessent, les intéressés sont tenus de récupérer les jours durant lesquels ils n'ont pas jeûné. Les bases de la prescription légale du jeûne sont

– Dieu est Connaissant et Sage" (Coran IX, v. 60). La quotité minimale d'impôt sur les biens possédés s'appelle *nisab*. Ce minimum fixé par la loi concerne le produit des récoltes, les

Sadaqa et zakat.
Dans le Coran il existe deux termes pour définir l'aumône : *sadaqa* et *zakat*. Mais l'usage juridique distingue la *sadaqa*, le "don volontaire", de la *zakat*, l'impôt codifié par la Loi pour "purifier" les biens personnels.

L'obligation du jeûne.
Le Coran établit l'obligation du jeûne pendant le mois de Ramadan dans le verset : "Ô vous qui croyez ! Le jeûne vous est prescrit comme à vos devanciers – Peut-être craindrez-vous Dieu" (Coran II, v. 183).

L'interruption du jeûne.
La rupture involontaire du jeûne ne comporte aucune sanction, à condition qu'on le reprenne immédiatement après avoir pris conscience de cette rupture. En cas de rupture volontaire, il faut faire réparation en offrant

données par le Coran (Coran II, v. 183-185) ; plus tard elles furent fixées par la *chari'a*. Par ailleurs, la Loi admet et recommande le jeûne volontaire pendant certains jours de l'année. Le Coran a aboli le mois embolismique qui, à l'époque préislamique, rétablissait tous les deux ou trois ans l'équilibre entre les calendriers solaire et lunaire : "Le mois intercalaire constitue un surcroît d'impiété, par quoi s'égarent les impies, qu'ils le banalisent une année, ou l'interdisent une autre année, afin de retomber juste sur le nombre de mois interdits par Dieu, et, en définitive, de banaliser ce que Dieu interdit. Elle peut bien à leurs yeux se parer, l'horreur de leurs actes, Dieu ne guide pas le peuple des dénégateurs" (Coran IX, v. 37). Sur la base de ce verset, on en revint au strict calendrier lunaire. Considérant que les mois lunaires sont de 29 et de 30 jours, alternativement, l'année lunaire est de 354 jours et en retard de 11 jours sur le calendrier solaire. La Loi établit que le simple calcul ne suffit pas pour proclamer le début du mois

de Ramadan, elle exige que des témoins oculaires fiables déclarent, devant un *cadi*, avoir vu la lune.
Le mois de Ramadan est le neuvième du calendrier islamique, rendu, pour l'islam, doublement sacré par le fait que c'est "celui pendant lequel fut commencée la descente du Coran, en tant que guidance pour les hommes et que preuve ressortissant de la guidance et de la démarcation (entre le bien et le mal)" (Coran II, v. 185). Il s'agit d'un mois de purification, riche de grâces et pendant lequel les portes du ciel sont légèrement entrouvertes, au cours d'une des dernières nuits impaires appelée *Laylat al-qadr*, la "nuit du destin".
Le jeûne dure depuis les premières lueurs de l'aube jusqu'au crépuscule ; il est en général précédé par un repas léger appelé *souhour*, pris peu avant l'aurore pour pouvoir affronter la journée. Comme la *salât*, le jeûne n'est valable que s'il est précédé de la *niyya*. Après l'avoir prononcée, on commence à jeûner à peu près un quart d'heure avant le début de la prière de l'aube. Le jeûne prévoit bien

sûr que l'on s'abstienne de toute nourriture ou boisson, mais aussi de rapports sexuels et de mauvaises pensées ou actions pendant toute la journée jusqu'au crépuscule. On ne doit ni se quereller, ni mentir, ni calomnier.
Le coucher du soleil met fin au jeûne et l'abstinence est interrompue en mangeant quelques dattes ou en buvant de l'eau, comme le veut la *sunna* du Prophète. Par tradition, une courte prière précède l'interruption, *ifta*.
Après la prière rituelle du

Prière de la fin du jeûne devant la mosquée al-Aqsa à Jérusalem. Le jeûne se déroule de l'aube au coucher du soleil pendant tout le mois de Ramadan, neuvième mois du calendrier islamique.

un repas à un certain nombre de bons musulmans indigents, ou bien en donnant l'équivalent de ce repas en argent, ou encore en jeûnant pendant soixante jours.

La signification spirituelle du jeûne.
Elle est plus importante que sa signification matérielle car, ce faisant, le musulman obéit à un ordre divin. Il apprend à contrôler ses désirs physiques et à surmonter sa nature humaine.

Détail du couvercle d'une boussole qui sert à calculer l'exacte "direction de La Mecque" quel que soit l'endroit où l'on se trouve (XVIIIᵉ siècle). Musée d'art turco-islamique, Istanbul.

soir, il est d'usage de prononcer une longue prière nocturne appelée *tarawih*. Selon la *sunna* du Prophète, cette prière va d'un minimum de huit à un maximum de vingt *rak'a*.

Le Ramadan est aussi un mois de charité, au cours duquel le croyant a le devoir de partager ses biens avec les nécessiteux. Le jeûne se termine au moment de l'apparition de la nouvelle lune du mois de Chaouâl. L'abstinence prend fin et commence alors l'*Aïd al-Fitr*, qui est la "fête de la rupture".

Hâjj, le pèlerinage

Le pèlerinage à La Mecque est le cinquième pilier de l'islam. C'est un devoir impératif et très précisément codifié. Chaque musulman a l'obligation de se rendre à La Mecque au moins une fois dans sa vie, si ses moyens le lui permettent. Les cérémonies du pèlerinage sont très compliquées. Le Coran y fait quelques allusions dans plusieurs sourates, et les détails précis en ont été transmis par la *sunna* et par la Tradition, en particulier celle qui concerne le dernier pèlerinage du Prophète peu de temps avant sa mort en 632. Le pèlerinage se déroule entre le 8 et le 13 du mois de Doul-Hidja. C'est un moyen de purification, et de ce fait il constitue un événement important dans la vie du croyant. Au cours du voyage vers et autour de la Maison de Dieu, l'homme demande la rémission de ses péchés et exprime son repentir ; l'accomplissement des rites concourt à sa purification. À la suite du pèlerinage, le musulman a droit au titre émérite de *Hâjji*, qui l'engage à mener une vie pieuse.

Le pèlerinage est aussi un rite très efficace d'intégration sociale. Les musulmans, hommes et femmes, de toutes les races et de toutes les classes sociales, venus du monde entier, se retrouvent depuis des siècles dans l'espace symbolique de l'unité de la communauté islamique. Le territoire sacré de La Mecque, *haram*, englobe les alentours de la ville ; ses limites ont été fixées par le Prophète lui-même. Les cinq points d'arrivée répartis aux bords de cet espace sacré sont connus sous le nom de *maouaqit*, pluriel du mot *miqat*. Dès qu'il arrive à la limite du territoire sacré, au *miqat* correspondant à son pays de provenance, le pèlerin doit se mettre en état d'*ihram*, de "sacralisation". Il procède au *ghousl*, les "ablutions majeures", se coupe les ongles, raccourcit ses cheveux, se parfume et revêt l'habit de pèlerin. Quand il veut accomplir l'*oumra*, comme pour les autres obligations du culte, il doit prononcer "l'intention" de faire le petit pèlerinage, la *niyya* sans laquelle celui-ci ne serait pas valable. Il doit ensuite annoncer son intention

Les mois de l'année. Les mois de l'année musulmane qui sont des mois lunaires commencent à la nouvelle lune. Ce sont : Mouharram, Safar, Rabî' al-Awal, Rabî' at-Thâni, Djoumada al-Awal, Djoumada at-Thâni, Radjab, Chaaban, Ramadan, Chaouâl, Doul al-Qaada, Doul-Hidja. Ils correspondent à peu près et dans l'ordre aux mois solaires de janvier à décembre.

d'obéir à l'ordre divin de se rendre à La Mecque en prononçant à haute voix avec les autres pèlerins la formule de *talbiya*. Cela se fait pendant tout le trajet qui va du *miqat* à la mosquée sacrée en entrant par la porte de la Paix. Puis il pénètre dans l'enceinte sacrée de la Kaaba, à la hauteur de la Pierre Noire, d'où part le *tawaf*, la "circumambulation" de sept tours dans le sens contraire des aiguilles d'une montre, en gardant la Kaaba sur sa gauche.
Le lieu de pèlerinage est la grande mosquée de La Mecque, qui comprend la Kaaba et le puits de Zemzem.
La Kaaba est un édifice cubique, situé à peu près au centre de l'immense cour de la mosquée ; la Pierre Noire est placée à son angle oriental. C'est un bloc minéral de couleur noire, déposé dans une niche à environ cinq pieds au-dessus du sol, déjà considéré comme sacré par Abraham et par les Arabes préislamiques. La Pierre Noire est vénérée du fait qu'elle a été touchée par les mains du Prophète mais elle n'est pas un objet d'idolâtrie. En face de la Pierre Noire

s'élève un édifice de deux étages qui est la source bénie de Zemzem. Un peu plus loin se trouve le *maqâm Ibrahîm*, "la station d'Abraham", une petite construction où fit halte Abraham près de la Kaaba. Au nord-est de la mosquée se trouve le *mas'a*, le "lieu de la course", l'endroit où se déroulent les cérémonies du *sa'yi*, la "course", entre les rochers de Safa et Marwa, qui commémore celle d'Agar, recommandée et accomplie par le Prophète lui-même. Il la définit comme étant la "course des gens entre eux".
Au terme du septième tour, le fidèle doit sortir du périmètre pour se rendre à la station d'Abraham. Il y fait une prière de quatre *rak'a*, puis il s'achemine vers la colline de Safa. Après trois formules de glorification, le pèlerin devra faire sept fois le parcours entre les deux rochers. Dès que la course est terminée, les hommes s'éloignent de Marwa pour se couper les cheveux ou, s'ils veulent respecter plus strictement la *sunna*, pour se raser le crâne. L'*oumra* se termine par cet acte et l'*ihram*, l'état de sacralisation, prend fin. À la différence de l'*oumra*, le

Hâjj, "le Grand Pèlerinage", ne peut avoir lieu que pendant la période fixée pour l'accomplissement de ces rites. Une fois arrivé au *miqat*, le fidèle prononce la *niyya* et se met en état d'*ihram*. Puis il se dirige vers la grande mosquée de La Mecque pour la *salât* de midi où il assiste au prône consacré aux devoirs du pèlerin. Le deuxième jour, le 9 du mois sacré de Doul-Hidja, le pèlerin part

Pèlerins devant la Kaaba à La Mecque, Arabie Saoudite. La Pierre Noire est enchâssée dans l'angle oriental de l'édifice.

En bas : Plan de La Mecque figurant sur le couvercle d'une boussole (XVIIᵉ siècle). Musée d'art turco-islamique, Istanbul.

L'appel au pèlerinage.
Le Coran l'évoque ainsi : "… Et proclame parmi les hommes l'appel au pèlerinage afin qu'ils puissent venir à toi, à pied ou sur quelque bête amaigrie, affluant de chaque profond défilé / pour connaître leur propre

avantage et rappeler le nom de Dieu, en des jours bien connus, sur Notre attribution, sous la forme d'une bête de troupeau : Mangez-en et nourrissez-en le malheureux indigent / et puis qu'ils éliminent leurs excroissances, qu'ils s'acquittent de leurs vœux,

qu'ils fassent le tour de la franche Maison" (Coran XXII, v. 27-29).

L'armée de Mahomet marche contre les infidèles. Miniature persane. Bibliothèque nationale, Paris.

En bas : Autour de la Kaaba, pèlerins revêtus des habits prescrits pour le pèlerinage.

pour la plaine devant le mont Arafat, à quatre heures de chameau environ, à l'est de La Mecque, en s'arrêtant pour la prière de midi dans un lieu intermédiaire du nom de Mina. Selon les indications de la *sunna*, cette journée, appelée "le jour d'Arafat", est le moment culminant du pèlerinage. Les pèlerins se réunissent dans la plaine, près du mont, et entrent en prière et en adoration, du début de l'après-midi au coucher du soleil, en répétant à haute voix la formule : "Me voici devant Toi, Allah."
Au coucher du soleil, les pèlerins quittent la plaine d'Arafat et se dirigent vers Mouzdalifa, où ils passent la nuit du 9 au 10.
Juste avant l'aube a lieu une autre célébration, semblable à celle d'Arafat et qui se termine par une course, *ifâda*, pour revenir à Mina avant le lever du soleil.
Là, les pèlerins procèdent à la "lapidation de Satan" en lançant sept cailloux contre une stèle tout en prononçant la formule consacrée.
Le 10 de Doul-Hidja est le jour des sacrifices en souvenir d'Abraham. La chair des animaux immolés doit être en grande partie distribuée aux indigents. Après quoi, les pèlerins retournent à Mina où les hommes se coupent ou se rasent les cheveux, tandis que les femmes se les raccourcissent de la longueur d'une phalange. À ce stade, les interdictions imposées par l'état de sacralisation sont levées, à l'exception de celles concernant les rapports sexuels. Puis, les pèlerins se rendent à La Mecque pour les circumambulations et le *sa'yi* entre les deux collines. Les jours suivants, le 11, le 12 et le 13, les pèlerins séjournent à Mina où, chaque après-midi, ils lapident rituellement les trois stèles représentant Satan, en commençant par la plus petite. Le départ de Mina doit s'effectuer avant le coucher du soleil. Avant de quitter les lieux saints, les pèlerins retournent à la Kaaba pour la circumambulation de l'Adieu. Le Grand Pèlerinage peut être associé à l'*oumra*. À propos du *Hâjj*, le Prophète a dit : "Seul le paradis peut récompenser un pèlerinage accepté par Allah."

Le djihad, un sixième pilier ?

Tout comme les rites obligatoires prescrits par la *chari'a*, les "cinq piliers de l'islam", le *djihad* est fondamental, mais c'est un devoir circonstanciel et non personnel : le *djihad* est toujours considéré *fard al-kifâya*, une "obligation collective". Il a la signification profonde d'un "effort accompli sur la Voie et pour la cause d'Allah". Le sens de "grande guerre sainte" qu'on lui prête couramment est oublieux de la dimension de lutte constante contre le mal et les mauvaises tendances qui doit être menée par chaque musulman.
Dans le Coran, les instructions concernant le *djihad* suivent une certaine progression, elles vont d'une grande tolérance non violente : "… Tu ne disposes pas sur eux de coercition. Par le Coran porte au Rappel quiconque redoute Ma menace" (Coran L, v. 45), en passant par la recommandation d'une guerre purement défensive : "Permission est donnée à ceux qui combattent pour avoir subi l'iniquité… / Dieu de les

L'oumra et le Hâjj.

Il existe deux sortes de pèlerinage : mineur, l'*oumra*, et le Grand Pèlerinage, *Hâjj*. L'*oumra* peut avoir lieu à n'importe quel moment, mais s'il est fait pendant le Ramadan, il acquiert la même valeur religieuse que le Grand Pèlerinage.

L'habit du pèlerin.

Pour les hommes, ce sont deux draps d'étoffe blanche, propres et non cousus. Le drap qui s'enroule autour des hanches, sous la poitrine, est appelé *izar*, l'autre, qui s'appelle *rida*, couvre la moitié supérieure du corps en laissant libre l'épaule droite. Les femmes doivent porter un vêtement courant mais si possible blanc, qui laisse le visage et les mains découverts.

secourir est capable /… à ceux qui furent évincés de leurs demeures à contre-droit, et seulement parce qu'ils disaient 'Notre Seigneur est Dieu' " (Coran XXII, v. 39-40), pour en arriver à une prescription plus explicite : "Combattez ceux qui ne croient pas en Dieu ni au Jour dernier, ni n'interdisent ce qu'interdisent Dieu et Son Envoyé, et qui, parmi ceux qui ont reçu l'Écriture, ne suivent pas la religion du Vrai – et cela jusqu'à ce qu'ils paient d'un seul mouvement une capitation en signe d'humilité" (Coran IX, v. 29).
Une autre sourate ajoute des prescriptions de caractère général : "Ô vous qui croyez, vous guiderai-Je à un négoce qui vous sauve d'un châtiment douloureux ? / Croire en Dieu et à Son Envoyé, faire effort de vos biens et de votre personne sur le chemin de Dieu : voilà pour vous le meilleur parti, si vous pouviez savoir…" (Coran LXI, v. 10-11).
Le sens initial de combat intérieur est bien explicité par le Prophète : *al-djihad al-akbar* est "l'effort ascétique sur la voie de Dieu", et *al-djihad al-asghar* est "l'effort mineur, un

effort en combattant sur la Voie de Dieu".
Dans la conception de l'islam, cet effort pour affirmer la suprématie de la Parole de Dieu, qui est tendu vers un but noble et élevé, interdit de recourir à des moyens ignobles et abjects. Pour avoir valeur de salut, le *djihad* doit être conduit selon les prescriptions de la Loi, et, dans tous les cas, la Loi exclut le meurtre des femmes, des enfants, des vieillards, des moines et en

général de tous les êtres sans défense ; de plus, elle interdit la destruction des biens et des habitations de l'ennemi.
La Loi prévoit aussi des règles pour le partage du butin de guerre et nombre de dispositions concourant, dans une série d'attendus, à rejeter tous les recours au terrorisme, à l'oppression, à la violence et aux abus. En ce sens, les menées terroristes ne devraient, en aucune manière, pouvoir se recommander du *djihad*.

Dans un village iranien. Procession avec le nakhale, sorte de baldaquin qui expose les portraits des martyrs pour la cause d'Allah. La procession a lieu à la fin du mois de Mouharram, en souvenir du martyre du troisième imam, Hussein, en 680.

Kafirine et Ahl al-Kitâb.
Le Coran fait une nette distinction entre les vrais *kafirine*, les "infidèles", et les *Ahl al-Kitâb*, les "Gens du Livre", pratiquant des religions révélées préislamiques tolérées par l'islam : le judaïsme, le christianisme, le sabéisme

ainsi que, dans certains cas, le zoroastrisme. Ils devront être combattus jusqu'à leur soumission à l'État islamique, mais leur foi, leurs cultes et leurs sanctuaires seront respectés, à condition qu'ils s'acquittent d'un tribut, la *djizya*, dont le montant

correspond à peu près à la valeur de la *zakat* versée par les musulmans.

*Mère et fille et, à droite,
petites filles dans une école
de village en Irak.
Toute naissance entraîne
une série d'actes à accomplir
qu'il s'agisse d'une fille
ou d'un garçon.*

*En bas : Un jeune garçon
porte l'habit de cérémonie
traditionnel pour la
circoncision. Istanbul.*

En raison de sa composition tribale et de l'environnement inhospitalier, la société arabe préislamique s'était édifiée sur un système patriarcal où la femme était reléguée dans un rôle secondaire. La naissance d'une fille était mal accueillie, surtout si la famille en comptait déjà plusieurs. C'était une charge supplémentaire et, en cas de combat ou de razzia, au lieu d'être un soutien, elle pouvait être une cause de déshonneur pour la famille. L'islam n'implique rien de tel, mais l'attachement aux coutumes et les prérogatives masculines étaient des attitudes difficiles à surmonter. Des enfants que le Prophète avait engendrés, seules les filles avaient survécu et il leur était très attaché. Il se confiait souvent à Fâtima et parlait d'elle en ces termes : "C'est celle qui me ressemble le plus." Il disait aussi : "Il n'est personne qui, ayant eu deux filles et les ayant bien traitées tant qu'elles ont vécu auprès de lui, n'entre pas au Paradis grâce à elles."

À la naissance d'un enfant, l'usage veut que l'on dise tout bas l'*adhan*, "l'appel à la prière", et quelques versets du Coran dans son oreille droite, puis l'*iqamah*, "le deuxième appel", dans l'oreille gauche. Il faut ensuite lui choisir un beau nom. Le Prophète a dit : "Les noms que vous attribuerez, qu'ils commencent par Abd (serviteur)." Même un enfant mort-né doit porter un nom.

Il est prescrit de sacrifier deux moutons pour la naissance d'un garçon, et seulement un pour la naissance d'une fille. Mais, l'école malékite considère que le sacrifice d'une seule bête convient quel que soit le sexe du nouveau-né. Il faut aussi distribuer des aumônes aux pauvres. En général, le sacrifice a lieu le septième jour après sa naissance, le jour où l'enfant reçoit son nom. C'est aussi le jour où se pratique la circoncision,

La circoncision.
Il n'est pas fait mention de la circoncision dans le Coran, mais c'était un usage très ancien attesté dans plusieurs populations sémites : Égyptiens, Phéniciens, Abyssins, Arabes et Hébreux. En milieu rural, la circoncision est habituellement pratiquée à la maison par une personne experte ou par un infirmier, mais en ville elle se fait souvent au dispensaire.

quoiqu'elle puisse être pratiquée plus tardivement, à l'âge de un ou deux ans. Dans la petite enfance, ce sont les parents qui donnent à l'enfant des rudiments d'éducation religieuse, puis ce sont tous les membres de la société qui participent à son instruction car la vie religieuse s'identifie à la vie sociale.

La Mecque. Après l'inhumation, on procède au *talqin* : on "suggère" la profession de foi au mort pour qu'il puisse répondre correctement aux deux anges d'outre-tombe, Nakir et Mounkir.
Un banquet funèbre est couramment offert entre le septième et le quarantième jour après la mort, en évitant les trois jours de l'*'azâ'*, la "consolation funèbre", au cours desquels les proches reçoivent les

Cimetière musulman à Rabat, Maroc.

À gauche : Funérailles musulmanes à Kerbala en Irak. Au centre en habits sombres on reconnaît l'imam chiite. Le Coran décrit de façon détaillée l'au-delà qui attend l'homme après sa mort.

En bas : Prière dans un cimetière d'Istanbul.

La mort

À l'approche de la mort, quelques versets du Coran sont récités à l'agonisant qui, lui, prononce la *chahâda*, "la profession de foi".
Après la mort, la Loi prescrit qu'il soit procédé à la toilette mortuaire et que la dépouille soit enveloppée dans un *kafan*, "linceul", non cousu. Puis l'on prononce en groupe la *salât al-janâza*, "la prière du défunt", même en l'absence d'un imam. Les femmes sont admises à la prière, mais l'expression publique de la douleur – pleurs, hurlements, etc. – est interdite.
Le défunt est mis en terre et doit être couché sur le côté droit et dans la direction de

condoléances et assistent à la lecture du Coran, dans la mosquée, sous un dais dans la rue, ou dans la maison du défunt.
Le Coran et la Tradition décrivent l'au-delà : l'enfer est un abîme de feu, alors

que le Paradis est un jardin où ne sont pas exclus les plaisirs sexuels. Le Coran parle de *hour* et de *houris*, des "vierges de grande beauté". Il s'agirait des épouses que les croyants ont eues dans ce monde.

La prière des morts.
La prière doit être récitée debout, elle débute par la *niyya*, la "formulation d'intention", est suivie de quatre *takbîr*, l'"*Allahou akbar*", les mains ne devant être élevées que la première fois. Certaines écoles admettent la lecture de la

sourate *Fatiha*, "l'Ouvrante", après le premier *takbîr*. Le deuxième *takbîr* est suivi de l'Éloge du Prophète, et le troisième d'un *dou'â'*, une "prière du cœur", enfin d'une invocation à la clémence et à la miséricorde de Dieu pour le défunt. Après le

quatrième *takbîr*, on prononce encore un *dou'â'*, puis on salue à droite et à gauche, comme à la fin de la prière canonique.

Le mariage

Des mariés tunisiens posent pour la photo officielle. La mariée est en costume traditionnel.

En bas : Famille irakienne à Kerbala. L'homme porte l'habit blanc typique, le thaub, et un keffieh. La femme est vêtue d'un manteau noir, la 'abayah.

Le mariage est recommandé par l'islam, à la fois dans le Coran et dans la *sunna* du Prophète. D'ailleurs, Mahomet était marié. Le mariage est considéré par le Coran comme un bienfait dont l'avantage doit être recherché. "Unissez par les liens du mariage ceux d'entre vous qui ne sont pas conjoints" (Coran XXIV, v. 32), et cela est un ordre. Dieu a dit aussi : "… ne les empêchez pas de se remarier avec leur mari" (Coran II, v. 232). La femme est considérée comme l'autre moitié de l'homme, et le mariage doit aussi être amour : "… parmi Ses signes, qu'Il ait créé pour vous à partir de vous-mêmes des épouses, afin qu'auprès d'elles vous trouviez l'apaisement ; qu'Il ait entre elles et vous établi affection et miséricorde…" (Coran XXX, v. 21). Dans la Tradition qui remonte au Prophète, le sujet du mariage est traité longuement. Mahomet a dit : "Le mariage fait partie de ma *sunna* : qui ne suit pas la *sunna* ne me suit pas." Et, pour inciter les musulmans à se marier, il a aussi dit : "Mariez-vous et croissez, et moi, au Jour du Jugement, je vous placerai au-dessus de toutes les autres nations, ainsi que vos mort-nés."

Un des *hadiths* blâme tous ceux qui trouvent des prétextes pour justifier l'abstention du mariage : "Celui qui renonce au mariage par peur du poids de la famille ne fait pas partie des nôtres." Dans l'islam le mariage permet d'éviter la souillure des rapports sexuels illicites. À ce propos le Prophète a dit : "Que celui qui est en état d'avoir des rapports charnels se marie ; ainsi il évitera la concupiscence des regards et les désordres sexuels." Les Arabes préislamiques pratiquaient une polygamie sans restrictions. Le Coran admet la polygamie mais il l'a réglementée en limitant à quatre le nombre d'épouses autorisées. La conception islamique de la polygamie est explicitée dans le Coran et précisément définie par la loi : "… alors épousez qui vous plaira d'entre les femmes, par deux, ou trois, ou quatre. Mais si vous craignez de n'être pas justes, alors seulement une, ou contentez-vous de votre droite propriété, plus sûr moyen d'échapper à la partialité" (Coran IV, v. 3).

Le mari polygame ne doit favoriser aucune épouse au détriment des autres. S'il ne peut respecter cet engagement, il lui est défendu de prendre plusieurs épouses. La Loi interdit même tout mariage à qui n'est pas capable d'en assumer les devoirs. Loin d'être une obligation, la polygamie est un droit qui reste soumis à certaines conditions. Avant de donner ou de refuser son consentement, le *cadi*, le "juge", ou toute autre institution compétente, examine la situation sociale et matérielle de celui qui veut se marier plus d'une fois. Lors de l'établissement du contrat de mariage, l'épouse a la possibilité d'imposer au mari une clause de monogamie. L'époux ne pourra alors contracter un autre mariage que dans des conditions très particulières : si l'épouse est gravement malade, ou stérile, ou encore si elle ne peut plus respecter les obligations du mariage. Du point de vue religieux, le mariage n'est pas un sacrement, mais un simple rite. C'est un contrat juridique entre l'époux et le *wâli*, le

Restriction de la polygamie.

Il faut rechercher dans le contexte historique de la naissance de l'islam les raisons de la polygamie, la principale étant de favoriser la natalité. Par ailleurs, en temps de guerre, l'équilibre entre les deux sexes est brisé ; les hommes sont pourtant indispensables pour subvenir aux besoins des femmes et des enfants dans une société où la femme participe peu au monde du travail. De nos jours, la polygamie n'est officiellement interdite qu'en Tunisie. Le Maroc tente de l'abolir, tandis qu'en Égypte et en Syrie, elle est découragée par des moyens juridiques. Elle a pratiquement disparu dans le monde islamique, sauf dans les sociétés tribales, dans la classe paysanne et dans les milieux aisés.

"tuteur matrimonial", représentant légal de la femme (en l'absence de ce dernier, cette charge revient à l'Autorité). Le droit islamique stipule le consentement de la femme, même si, dans certains cas, il autorise le père à imposer à sa fille un mariage contre sa volonté. En revanche, celui-ci ne peut pas la contraindre au célibat. Dans la pratique courante, le contrat s'établit devant le *cadi* ou un de ses délégués, qui peut être un imam, et en présence de deux témoins dignes de confiance. Le mariage n'est donc pas nécessairement célébré à la mosquée mais aussi bien à la maison. Le consentement est prononcé par le mari et le tuteur, qui doivent seulement évoquer les termes de *nikâh*, "noces", et *tazwîdj*, "mariage". La loi prévoit l'obligation de la "dot", *mahr*, que l'époux s'engage solennellement à verser. Le Prophète dissuade la prétention à des dots exagérées : "Les meilleures épouses sont celles au visage le plus gracieux et à la dot la plus mince." L'islam enjoint au mari d'avoir un comportement équitable – montrer de la sollicitude,

traiter également les épouses et pourvoir à leur entretien – et de respecter les coutumes comme le banquet de noces. Le mariage est interdit dans les cas de proche parenté entre les époux et de "parenté de lait", la nourrice étant considérée à l'égal d'une mère. La Loi tolère le mariage d'un musulman avec des femmes d'*Ahl al-Kitâb*, "Gens du Livre", mais non l'inverse, en raison de l'autorité de l'homme sur la femme et parce que les enfants appartiennent au père. La répudiation est permise, elle est même très facile à prononcer, mais, c'est le comportement qui répugne le plus au Coran. Elle est autorisée si elle n'entraîne pas un préjudice trop injuste. Dans un *hadith*, le Prophète a dit : "La chose la plus haïssable aux yeux de Dieu est le divorce." En dehors de la mort d'un des conjoints, la dissolution du mariage est effective par *talaq*, "répudiation" de l'épouse par le mari, par *khoul*, "rachat" de l'épouse, dont le montant versé au mari ne peut pas être supérieur à la dot, ou par *faskh*, "déclaration" d'annulation par le juge,

Mariés musulmans à Curepipe, île Maurice. Selon un usage de plus en plus répandu, les mariés s'habillent à l'occidentale et organisent de fastueuses réceptions qui ont souvent lieu dans des grands hôtels. Ces coutumes n'ont plus grand-chose à voir avec l'enseignement et la pratique islamiques.

subordonnée à des circonstances déterminées. Si la femme ne possède pas la somme nécessaire à son rachat, elle peut s'adresser au *cadi* et lui soumettre son cas : il pourra la libérer de sa parole si la raison est de son côté, mais c'est une demande qui est difficilement reçue. La femme pourra par exemple obtenir le divorce dans le cas où son mari doit purger une longue peine de prison ou rester trop longtemps absent à cause de son travail. À propos du rachat, le Coran dit : "… Point de faute pour eux à ce qu'elle se libère par rançon" (Coran II, v. 229).

La répudiation.
Une des spécificités du divorce islamique est qu'il devient définitif au bout de trois répudiations successives. Il ne pourra y avoir remariage avec la même femme que si elle s'est entre-temps mariée avec un autre homme,

appelé *mouhallil*, qui l'aura lui-même répudiée. Dans tous les cas, la Loi recommande que le mari se montre aimable au moment de la répudiation, et évite de maltraiter ou de mépriser sa femme. Dans le Coran Dieu dit : "… Mais n'oubliez pas entre vous la

libéralité" (Coran II, v. 237) et cette "libéralité" devient obligatoire dans le cas où le mariage aurait été contracté sans que la somme de la dot ait été préalablement établie.

*Étudiante à l'université
d'Istanbul, Turquie.
L'islam n'a jamais empêché
la femme d'entreprendre des
études, mais il lui refuse
la possibilité d'exprimer un
avis juridique ou d'exercer
des charges qui lui
conféreraient une autorité sur
les hommes. Toutefois, dans
quelques pays islamiques,
il arrive que des femmes
occupent d'importantes
fonctions : Premier ministre,
chef d'entreprise, avocate
et professeur d'université.*

En bas : Petite fille irakienne.

Le statut de la femme dans l'islam est présenté ainsi dans le Coran : "Les femmes ont le droit à l'équivalence de ce qui leur incombe selon les convenances"; et il ajoute : "Les hommes ont toutefois sur elles préséance d'un degré" (Coran II, v. 228). En raison du poids des traditions et de préjugés étrangers à la Loi religieuse, la condition de la femme dans les pays islamiques est souvent plus défavorable que ce qui est prescrit. C'est le cas du port du "voile" qui n'est pas explicitement prescrit par le Coran et n'a jamais été adopté par la Loi. Il en est bien fait mention, mais comme d'une coutume dont l'origine n'est pas religieuse. Telle qu'elle est organisée juridiquement par le Coran et la *sunna*, la condition de la femme est restée pratiquement inchangée pendant treize siècles. Ce n'est que vers la fin du XIXe siècle que quelques intellectuels musulmans (égyptiens, turcs, nord-africains et caucasiens) ont commencé à parler de la "condition féminine". Après un séjour en Europe, l'Égyptien Qasim Amin (1863-1908) aborde les questions de la polygamie, de la répudiation et du voile, dans son livre *La Libération de la femme* (1899) : "La loi islamique, dit-il, a précédé toutes les autres législations, en proclamant l'égalité entre la femme et l'homme. Elle a établi la liberté et l'indépendance de la femme quand toutes les autres nations ne lui reconnaissaient aucun droit. Elle lui a accordé les mêmes droits qu'aux hommes et elle a entendu que la femme puisse jouir de droits légaux, en nulle chose inférieurs à ceux de l'homme…"

Dans les années qui suivent naît un mouvement féministe conduit par deux Égyptiennes, Malak Hini Nasif et Hoda Sharawi. Cette dernière protestera de façon spectaculaire : en 1933, elle arrache son voile en gare du Caire. De nos jours, un grand nombre de femmes musulmanes ont accédé aux plus hautes responsabilités sociales et politiques, mais, dans l'ensemble, le statut de la femme n'a pas évolué : elle reste soumise à l'autorité du père, des frères, du mari. Aux yeux des croyants, elle continue d'être diabolisée comme un objet de tentation et le cycle menstruel est toujours perçu comme une impureté. Actuellement les porte-parole de la libération de la femme sont l'Égyptienne Nawal Sa'dawi et la Marocaine Fatima Mernissi. Celle-ci s'appuie d'ailleurs sur une relecture du Coran et de la *sunna* pour étayer ses revendications. Le respect du droit de vie de la femme est fermement défendu par le Coran : "Quand on annonce à l'un d'eux une fille, son visage noircit, il doit se contenir / il se cache à tous, honteux

Droit héréditaire.
Quant au droit de la femme à l'héritage, le Coran dit : "Aux hommes une quotité de ce qu'auront laissé leurs père et mère et leurs proches. Aux femmes une quotité de ce qu'auront laissé leurs père et mère et leurs proches. Peu ou beaucoup, c'est quotité d'obligation. […] Dieu vous recommande, en ce qui concerne vos enfants : aux garçons l'équivalent de la part de deux femmes…" (Coran IV, v. 7 et 11). La raison pour laquelle l'homme obtient deux fois plus que la femme est à rechercher dans les différentes responsabilités sociales de l'homme : en épousant une femme il s'engage à subvenir à ses besoins et à ceux de ses enfants.

de la funeste annonce : va-t-il ignominieusement la garder, ou l'escamoter dans la poussière ? N'est-ce pas là un odieux jugement ?" (Coran XVI, v. 58-59). Les considérations sur l'adultère en général se trouvent dans la sourate XXIV, aux versets 2, 3 et 4 : "Quant à celle ou celui qui se rend coupable de fornication, flagellez chacun de cent coups. Par respect de la religion de Dieu, ne vous laissez pas émouvoir de pitié pour eux si vous croyez en Dieu et au Jour dernier. Qu'un groupe de croyants soit témoin du châtiment. / Fornicateur n'épouse que fornicatrice ou qu'associante ; fornicatrice n'épouse que fornicateur ou qu'associant ; pareil acte est interdit aux croyants. / Qui accuse une préservée sans produire à l'appui quatre témoins, infligez-lui quatre-vingts coups ; n'acceptez plus d'eux un témoignage, à jamais : voilà bien des scélérats." Pour être appliquée, la lapidation pour *zina*, "fornication", exigeait la confrontation de quatre témoins ayant constaté, ensemble et *de visu*, l'adultère. Ces conditions faisaient du châtiment une

mesure de dissuasion plus qu'un risque réel. Une des pierres d'achoppement de la question féminine en Islam est le port du voile. À ce propos le Coran donne une indication assez floue : "Prophète, dis à tes épouses, à tes filles, aux femmes des croyants de revêtir leurs mantes : sûr moyen d'être reconnues (pour des dames) et d'échapper à toute offense. Dieu est tout indulgence, Miséricordieux" (Coran XXXIII, v. 59). Du point de vue islamique, le rôle et le statut de la femme dans la société sont conformes à la nature féminine. La nature de l'homme et celle de la femme sont différentes, non pas antagoniques, mais complémentaires, à chaque sexe revenant des tâches et des devoirs déterminés. Même si son épouse est riche, c'est à l'homme que revient le devoir d'assurer la subsistance économique de la famille, c'est l'exemple qu'a donné le Prophète après ses épousailles avec la riche et noble Khadija. Et Aïcha dit que quand il ne travaillait pas, il participait aux tâches familiales. Par rapport à la condition préislamique, l'islam a libéré

la femme en lui attribuant un rôle dans la société. Il est indéniable que l'homme islamique bénéficie de certains privilèges, dont l'origine renvoie au contexte historique de la naissance de l'islam et à sa propre conception anthropologique. Les exigences du progrès social rendent inévitable une réévaluation de certains aspects de la condition féminine, en conformité avec la *chari'a* et à la lumière de l'islam.

Femme portant le hidjab *dans une ville d'Iran.*

En bas : Femme voilée à Marrakech, Maroc.

Mahram.

Les parentes que l'homme peut voir dévoilées sont celles avec qui le mariage est interdit. Elles s'appellent *mahran*, ce sont la mère, la sœur, la femme, la belle-mère, la belle-fille – l'épouse du fils ou la fille de l'épouse – et toute

autre parente en ligne directe ascendante ou descendante. La Loi accorde le statut d'homme libre aux enfants nés du concubinage entre une esclave et son maître.

Hidjab.

Le voile est considéré comme une protection contre l'agression sexuelle car le corps de la femme est *ara*, "nudité", vulnérable et sans défense. À la différence du *neqab*, le *hidjab* ne réduit pas la femme à être une ombre sans visage.

À droite : Rue du Caire illuminée pour l'anniversaire de la naissance de Mahomet.

Ci-dessous : Prière au Centre islamique de Rome. Pour chaque fête il y a des prières et les fidèles sont tenus d'accomplir les actes du culte avant de penser à se divertir.

Les fêtes religieuses les plus importantes de l'année musulmane sont au nombre de deux. La première est l'*Aïd al-saghîr*, la "petite fête", qui correspond à la fin du mois de Ramadan, à partir du premier jour de Chaouâl. Elle touche profondément les musulmans car elle met fin à la dure épreuve du jeûne ; elle s'appelle d'ailleurs aussi *Aïd al-fitr*, la "fête de la rupture du jeûne", et l'on s'y réjouit de son succès. C'est une fête qui est aussi placée sous le signe de la fraternité, car, à cette occasion, qui en a les moyens devra verser la *sadaqa*, l'"impôt volontaire" de rupture du jeûne. La seconde fête par ordre d'importance est l'*Aïd al-kabir*, ou "grande fête", dont la date est fixée au dixième jour du mois de Doul-Hidja, au moment même où doivent avoir lieu les sacrifices du pèlerinage à La Mecque ; elle s'appelle donc aussi *Aïd al-adhâ*, la "fête des sacrifices" ou "fête du mouton". Les musulmans du monde entier communient avec la joie des pèlerins qui ont accompli leur devoir de *Hâjji*. Cette grande occasion commémore le

sacrifice d'Ismaël par Abraham (et non pas d'Isaac, comme dans la Bible). Pour la "grande fête" il est recommandé aux musulmans d'offrir une tête de bétail en sacrifice et de distribuer aux pauvres une part de l'animal. Selon la Tradition, l'origine de ces deux fêtes est attribuée au Prophète. Elles se substituèrent à deux autres fêtes qui étaient célébrées à Médine – selon les mots du Prophète : "Dieu vous a envoyé deux [fêtes] meilleures que celles-ci." Elles ne doivent pas être seulement une occasion de joie et de divertissements, mais

réserver aussi un temps au culte et à l'adoration. En effet, lors de ces fêtes on prononce une prière appropriée, connue sous le nom de *salât al-a'ayd*, ou "prière des fêtes". D'autres fêtes non canoniques sont célébrées dans le monde musulman. Le premier jour de l'an islamique, le 1er de Mouharram, donne aussi lieu à une fête, de moindre importance que le nouvel an chrétien. Le dixième jour du même mois est consacré à la commémoration de la mort de Hussein, fils d'Alî. L'historien Ibn Khatîr (1300-1372) rapporte dans

La prière des fêtes.
La prière dite à l'occasion des deux plus importantes fêtes de l'année présente peu de différences avec la prière canonique du vendredi. Elle est composée de deux *rak'a* et est conduite par un imam qui commence

par un *takbîr*, poursuit par une prière d'ouverture, elle-même suivie par sept autres *takbîr* ; il lit ensuite la *Fatiha*, puis quelques versets du Coran et poursuit avec la première *rak'a*, comme pour les prières habituelles. Il prononce ensuite cinq

takbîr avant de commencer la deuxième *rak'a*, imité par les fidèles.

al-Bidâya wa an-nihâya, "Commencement et fin", comment fut décidé, en 963 à Bagdad, de commémorer le martyre de Hussein : dans les premiers jours du mois de Mouharram, on dressera des dais pour le culte funéraire, les marchés seront fermés, le peuple en habits de deuil récitera des oraisons en l'honneur du "prince des martyrs". Différents textes servent à cette commémoration : élégies et chants funèbres dans le style des lamentations aux héros assassinés, reprenant d'anciens rites cérémoniels arabes auxquels est donnée une dimension religieuse. Des œuvres en vers ou en prose glorifiant le sacrifice des martyrs sont récitées et on met en scène des "condoléances funèbres" 'Achoura ou Ta'ziha.
Le 12 de Rabî 'al-Awal, troisième mois de l'année, est le jour du Al-Mawlid an-nabawî, la "Nativité du Prophète". C'est le prince Mouzaffar al-Dîn al-Arbilî (m. 1233) qui a présidé la première commémoration grandiose de cet anniversaire. Cette fête réunissait des savants, des lettrés, des poètes et des prédicateurs venus de tout

l'empire. Puis, elle s'est répandue dans l'ensemble du monde islamique. La psalmodie des louanges du Prophète et la lecture de sa biographie sont parfois accompagnées par des balancements rythmés. On dresse des tentes où sont dits des poèmes et des récits en prose sur la naissance du Prophète, en alternance avec des litanies et des louanges. Les convives échangent des vœux et savourent des gâteaux et des boissons. Le mi'radj, la nuit de

l'Ascension du Prophète, est commémorée le 27 du mois de Radjab. L'événement, mentionné dans le Coran mais enrichi par la Tradition, est célébré par la lecture du Livre sacré tout au long de la nuit. Pendant les cinq dernières nuits impaires du Ramadan, on célèbre la Révélation du Coran : une de ces nuits est celle de la Révélation, Laylat al-qadr, "la nuit du destin" ; le Coran la définit ainsi : "la nuit grandiose vaut plus qu'un millier de mois" (Coran XCVII, v. 1-5).

Des fidèles chiites se flagellent pendant la célébration de l'anniversaire de la mort d'Hussein. Mosquée d'Hussein, Kerbala, Irak. C'est une commémoration à caractère funèbre.

En bas : Le cheval d'Hussein dans une gravure populaire contemporaine.

La commémoration de la mort de Hussein.
Différente suivant les pays, on n'y lit pas toujours les mêmes textes. Le plus classique est celui du Persan H. Va'ir Kâshify (m. 1505), appelé Hadîqat al-Shouhadâ, "Le Jardin des Martyrs". La narration de "L'Assassinat

de Hussein", Maqtal al-Hussein, une version de Muhammad al-'Amilî, a recours à de longues descriptions pour accroître l'émotion du public. Chaque année, le 10 du mois de Mouharram, le spectacle de la bataille de Kerbala est joué par

des figurants qui y tiennent les rôles de l'armée de Hussein et de celle des Omeyyades. Cette représentation, très spectaculaire en Iran, est donnée en Irak et au Liban, avec moins de faste, et de façon plus modeste en Égypte et en Syrie.

Vue de la mosquée Kodiamin à Bagdad, Irak. Le mouvement chiite s'est constitué autour de la reconnaissance de l'autorité des imams.

En bas : La main de Fâtima dans une gravure populaire irakienne. Dans la chî'a, *Fâtima est l'objet d'une grande vénération du fait qu'elle était l'épouse d'Alî, le premier imam.*

Parce qu'elle développe une doctrine juridique et théologique qui lui est propre, la *chî'a* revendique d'être une école de l'islam : comme la *sunna* elle propose une interprétation orthodoxe de la Révélation islamique, et, mieux adaptée à certaines mentalités, elle concourt à rendre l'islam universel. Ces deux écoles divergent principalement sur la question de la succession du Prophète et de son rôle politico-religieux.
À la mort du Prophète, la légitimité de son successeur n'est pas une question réglée. Un parti qui soutient que la charge doit rester dans la famille est favorable à Alî, cousin et gendre du Prophète, mais la majorité se prononce en faveur d'Abou Bakr. Son choix, conforme à la *sunna*, lui vaudra de porter le nom de *Ahl al-sunna wa-l djamâ'a*, les "Gens de la Tradition et du consensus".
Finalement Alî ne parviendra à accéder au califat, en 657, qu'à la suite des règnes successifs de trois *al-Khoulafâ' ar-Râchidoun*, "les califes bien guidés".
Il entreprend aussitôt le combat contre Mou'awiya, gouverneur de Syrie et chef du clan des Omeyyades, qui revendiquait aussi ses droits au califat. Alors que la bataille décisive tourne en sa faveur, Alî décidera de se plier à une demande de *tahkim*, "arbitrage", qui lui sera défavorable. Dans la troupe de ses partisans fidèles – qui portent le nom de *chî'a*, "parti", "faction" d'Alî –, Alî était souvent divinisé ; l'acceptation de l'arbitrage va provoquer le mécontentement d'un grand nombre des siens qui l'abandonnent car, selon eux, il n'y a de seul vrai juge que Dieu. Ces fanatiques forment la secte des kharidjites, "les sortants", et vont se retourner contre Alî et ceux qui lui sont restés fidèles – les *chî'at Alî* ou chiites – et contre la dynastie de Mou'awiya, les Omeyyades. Leur puritanisme radical et leur recours à la terreur contribueront à conforter dans le choix du conformisme les chefs religieux de la *sunna*, ce qui conduit à la création de la classe des oulémas, les "savants religieux". La fidélité à la *sunna* et la pratique du consensus acquerront un statut théorique et doctrinal à partir du IXe siècle.
La doctrine du droit divin sera élaborée plus tardivement par un autre groupe de la *chî'a* d'Alî en opposition avec l'esprit de l'*ijdmâ'*, ou "consensus", de la *sunna*. Cette doctrine, qui ne remet pas en cause la prophétie de Mahomet, est hétérodoxe en ce qu'elle refuse de se conformer à l'*ijdmâ'* et qu'elle reconnaît l'autorité personnelle d'un imam enseignant, auquel est attribué plus ou moins de divinité en fonction de sa communauté.
À la suite de l'assassinat d'Alî à Koufa, ce groupe exige que le califat revienne à la famille du calife.

Moukhtar.

Au sein de la *chî'â*, à Koufa en Irak, Moukhtar incite à la rébellion contre les Omeyyades Muhammad ibn Hanafiyyah, un fils d'Alî mais pas de Fâtima, né d'un mariage contracté après la mort de la fille du Prophète. Moukhtar parvient à s'emparer de Koufa, mais sa rébellion échouera en 687, quand Muhammad se retirera de l'alliance.

L'école des douze imams.

Elle est appelée aussi *dja'fârite*, du nom du sixième imam, Dja'far as-Sâdiq, fondateur de l'école juridique chiite, considérée comme la cinquième école juridique islamique. En effet, la *chî'a* duodécimaine

Hussein, le fils cadet d'Alî, est vaincu à Kerbala en 680 par les troupes omeyyades de Yazid, le successeur de Mouawiya. L'épisode de sa mort violente introduira la thématique de la souffrance et du martyre comme composante héroïque dans le chiisme. En quelques années, le chiisme, qui était originellement un mouvement politique et social, va s'ériger en école juridique avec sa propre théologie.

Après une série de rébellions manquées, l'unité du mouvement chiite se fera sur la reconnaissance de l'autorité des imams descendants de Hussein, fils d'Alî.

Le concept de l'imamat n'a pu se développer que sous l'influence de l'adhésion à l'islam de nouvelles populations et du contact avec des religions et des civilisations différentes : christianisme, manichéisme, bouddhisme, philosophie grecque. Pour la *sunna*, le calife est seulement le guide de la communauté, alors que pour les chiites, il est en même temps le *walî*, l'"héritier" de la science ésotérique et l'interprète des sciences religieuses. Une des spécificités du chiisme est

qu'il laisse la porte ouverte à l'*ijtihad*, "la pensée créative individuelle", et à l'interprétation individuelle du dogme et de la Loi. Les chiites se répartissent en différentes tendances, selon le nombre d'imams qu'ils reconnaissent après Alî et ses fils.

L'école des douze imams, ou école imamite, est la plus importante par le nombre de ses adeptes et sa position dans la tradition religieuse. Il y a deux autres écoles, celle des sept imams, ou ismaélisme, et celle des cinq imams, ou zaydisme.

Le douzième et dernier imam, Muhammad

al-Mahdi, "le bien guidé", disparu dans des circonstances mystérieuses, est l'imam caché. Les imamites ne croient pas seulement que l'imam *ghâ'ib*, ou "occulté", appelé aussi *al-Mountazar*, "l'attendu", est présent spirituellement mais qu'il est véritablement vivant, sur terre, en un lieu secret, et qu'il réapparaîtra à la fin des temps. Il est considéré aussi comme *Sâhib al-Zamân*, "le seigneur du temps", capable de faire connaître sa volonté par différents moyens. Après sa disparition, la communauté choisit pour guide un *wakil*, "lieutenant",

est proche de la *chari'a* sunnite, sauf en ce qui concerne la conception de l'imamat. Nous y trouvons par exemple, avec la *zakat*, l'"aumône légale", le *khums*, le "cinquième", comme impôt à prélever sur le butin, les mines et les trésors. De même l'*I'tikâf*, la

"retraite spirituelle", est recommandé pendant trois jours et trois nuits. Le *djihad*, l'"effort dans la voie de Dieu" ou "guerre sainte", y est aussi considéré comme un des piliers de la foi, et peut être conduit même contre les musulmans qui refusent de se soumettre à

l'imamat légitime. Il existe aussi un genre de mariage caractéristique de la *chî'a* appelé *mouta*, "mariage provisoire" : une durée prédéterminée, période au terme de laquelle le mariage est automatiquement dissous, est mentionnée dans le contrat.

Un imam chiite. Kerbala, Irak.

En bas : Pierre de prière. Dans le culte chiite, le fidèle pose devant lui une pierre ronde, turba, sur laquelle il appuie son front pendant la prosternation. Elle symbolise la terre sur laquelle fut versé le sang du martyr Hussein.

Kerbala. La cour intérieure du mausolée d'Hussein. Fils d'Alî et de Fâtima, la fille préférée du Prophète, Hussein fut tué en 680 pendant la bataille de Kerbala contre l'armée omeyyade.

ou *bab*, "porte", qui reste en contact avec l'imam caché. Cependant, les théologiens de la *chî'a* ont considéré que le lien avec l'imam caché était interrompu à la mort du quatrième et dernier wakil, en 940. Ainsi prenait fin la *ghâ'iba sughra*, la "petite occultation", et commençait la *ghâ'iba kubra*, la "grande occultation". Cette période d'occultation doit se terminer avec le retour de l'imam caché, qui viendra rétablir le règne de la justice et l'autorité divine à la fin des temps. Dans l'attente de cet événement, le pouvoir

de légiférer sur la base du Coran et de la tradition relative à Alî et à ses descendants revient aux docteurs de la Loi.
La *chî'a* imamite s'est répandue en Perse où elle est devenue l'école la plus importante à la suite de sa proclamation comme doctrine officielle de l'État, en 1502, par les Safavides. Elle compte aujourd'hui plus de cinquante millions d'adeptes, en Iran essentiellement, et elle est aussi représentée en Irak, au Pakistan, en Inde et en Extrême-Orient.
La querelle pour la

succession du sixième imam Dja'far as-Sâdiq, mort à Médine en 765, introduisit la première grande division à l'intérieur de la *chî'a*. Son fils aîné et son successeur légitime, Ismaïl, fut considéré indigne en raison de sa mauvaise conduite, et la majorité nomma son fils cadet, Mousa. Après sa mort, un petit groupe de fidèles d'Ismaïl soutint les droits de son frère Muhammad à l'imamat en tant que septième et dernier imam destiné à devenir l'"imam caché". Ses partisans seront appelés les ismaéliens. Vers la fin du IXe siècle, cette branche de la *chî'a* revêt une importance capitale dans tout le monde musulman, de l'Afrique du Nord à l'Inde. Son expansion est en partie due à la révolte fomentée à Koufa, en Irak, par Hamdan Karmat, appelée dès le Xe siècle l'insurrection des Karmates. Cette rébellion anticalifat constitua une menace constante pour le pouvoir abbasside déjà sérieusement affaibli et embrasa toute la péninsule Arabique et les tribus berbères d'Afrique du Nord. En 909, un prétendant ismaélien, Oubayd Allah, et son armée de partisans

Druzisme et nizarisme.
Ce sont deux dérivations de l'ismaélisme. Le druzisme se rattache à la déification du calife fatimide al-Hakim (996-1021) dont le retour est attendu à la fin des temps en qualité de *mahdi*. Aujourd'hui les druzes sont quelques centaines de

milliers d'adeptes en Syrie, au Liban et en Israël. L'autre courant prit parti pour Nizar, le fils du calife al-Moustansi (m. 1094) dans la lutte pour la succession. Sous la conduite du *dâ'î* ("celui qui invite à la vérité") fatimide Hassan ibn al-Sabbah (1090-1124), qui

en promut la diffusion dans les régions islamiques orientales, en particulier en Perse, les nizarides donnèrent naissance au mouvement terroriste connu sous le nom de *hachaychin*, "assassins" et sévirent jusqu'en 1256 quand il furent anéantis par les Mongols.

chassent de Kairouan, en Tunisie, la dynastie des Aghlabides, fidèles aux Abbassides, et crée le califat des Fatimides, en revendiquant sa descendance directe de Fâtima, fille du Prophète et première épouse d'Alî. En 969, le quatrième calife fatimide, al-Mu'izz, conquiert l'Égypte et fonde Le Caire dont il fait sa capitale. Le pouvoir des Aghlabides s'étendait jusqu'en Syrie et en Palestine, et pendant un siècle ils représentèrent la puissance la plus redoutable de toute l'Afrique du Nord. Après la mort du calife al-Moustansir en 1094, le pouvoir fatimide connaît un déclin rapide.

Le système théosophique de l'ismaélisme est théorisé et codifié en Irak et en Perse au XIᵉ siècle. Sa théosophie est fondée sur une interprétation allégorique du Coran et reflète l'influence d'idées néoplatoniciennes, comme on le constate dans la théorie de l'émanation. Entre les Xᵉ et XIᵉ siècles, deux courants dérivés de l'ismaélisme apparaissent : le nousayrisme et le druzisme. La tradition des imams nizarides fut prorogée en Perse où shah Fath leur

octroya le titre d'Agha Khan, "Maître Prince", en 1834. Par la suite, des intrigues politiques contraindront l'Agha Kan à l'exil en Inde (1842) où il mourra en 1881. De nos jours les nizarides sont présents en Inde, en Syrie, en Iran et en Europe.

Le chiisme n'est pas très différent du sunnisme pour ce qui concerne le culte et les rites. À côté des fêtes traditionnelles de l'islam, les chiites commémorent le martyre de l'imam Hussein et des descendants du Prophète à Kerbala. Cette cérémonie, célébrée pendant les premiers dix jours de al-Mouharram, le premier mois du calendrier islamique, est un rite de deuil et de lamentations centré sur la *Ta'-ziya*, la "représentation sacrée", des événements de cette bataille tragique. On y célèbre aussi la naissance de Hussein et celle de sa mère Fâtima.

Au IXᵉ siècle, un autre groupe chiite, les zaydites, du nom d'un descendant d'Alî, Zayd ibn Alî, contribue à l'émergence de la doctrine officielle de quelques petits États comme le Yémen ou d'États des rives de la mer Caspienne. Ce groupe a une position

assez proche du sunnisme, mais il s'en distingue par l'importance majeure qu'il donne au principe de l'imamat et à la théologie moutazilite. Présente surtout au Yémen et en Extrême-Orient, cette branche compte actuellement plus de six millions d'adeptes.

Femme chiite en prière devant le mausolée de Kerbala. Les chiites ont coutume d'aller prier dans les mausolées où sont ensevelis les imams, pour demander grâce et pardon.

L'école des cheikhi.
Au XVIIIᵉ siècle se constitue l'école des *cheikhi* qui est une synthèse de la philosophie chiite et de la pensée de certaines confréries soufis. En 1844, Sayyid Alî Muhammad de Shiraz, né en 1821, un disciple de cette école, se

proclame *bab*, "porte de l'imam", et miroir de l'intelligence universelle. L'opposition entre ses deux frères divisera encore le mouvement après sa disparition. L'un des deux, sous le surnom de Baha Alla, deviendra le fondateur du bahaïsme, qui professe

des idéaux de pacifisme et d'universalisme. Actuellement, on compte de nombreux adeptes de ce mouvement aux États-Unis et dans quelques pays d'Europe.

Maître et disciple. Miniature persane (1560). Musée Reza Abbasy, Téhéran. Dans le soufisme, le maître guide le disciple sur la voie spirituelle.

En prenant appui sur la composante ascétique de l'islam, le soufisme aspire à une relation personnelle et sans médiation entre l'homme et Dieu. Les soufis n'ont pas voulu en rester au formalisme d'une pratique rigide du culte liée à la *chari'a*. La caractéristique du mouvement est de s'être donné un but tout à fait inédit : la soumission aux prescriptions religieuses n'est qu'un moyen pour parvenir à la purification de l'âme et progresser dans la connaissance de Dieu. La compréhension intérieure de la Révélation islamique est le chemin qu'ils préconisent pour

réaliser l'idéal du *tawhid*, "l'unité de Dieu". L'accession pleine aux mystères du *tawhid* et la connaissance de la signification profonde du terme sont réservées au soufi car lui seul voit Dieu en tout.

L'idéal du soufisme met en lumière le conflit qui l'oppose aux *fouqaha*, "versés dans la connaissance de la Loi islamique", c'est-à-dire la profonde divergence entre le respect de la *chari'a* et la recherche de la *haqiqa*, "la vérité".

Le soufisme aspire à un but unique et absolu, l'union totale avec Dieu, et se désintéresse autant des préoccupations matérialistes et dogmatiques de la doctrine islamique que des récompenses promises aux fidèles, telles que le bonheur dans l'au-delà et le paradis. Se réfugiant dans l'ésotérisme, les soufis considèrent leurs comportements et leurs paroles comme directement inspirés de Dieu, devenant son porte-parole à un certain degré d'extase. Le *mourid*, le "disciple", doit être initié par le *mourchid*, le "maître", qui

lui transmet la *baraka*, l'"influence spirituelle", la "bénédiction", qu'il a reçue directement du Prophète par la médiation de la chaîne mystique.

Il y a plusieurs écoles d'initiation, plusieurs *tourouq*, "voies", correspondant à une *silsila*, "chaîne spécifique", car chaque grand maître est seul détenteur de l'autorité compétente pour garantir l'authenticité de la chaîne. Les prémices de la pratique du soufisme remontent à l'époque de la vie du Prophète. L'élaboration et la formulation de l'idéal soufi par l'intermédiaire d'individus inspirés ont commencé dans le secret par des réunions de disciples en petits cercles très fermés.

Au VIIIe siècle, alors que la doctrine du soufisme n'est pas encore formalisée, il s'agit essentiellement de lecture à haute voix du Coran dans des réunions privées. Ce n'est que plus tard que le soufisme dotera cette forme de *dhikr*, de "remémoration" de Dieu, d'un code rituel et collectif complexe. Ce rituel, qui sera progressivement islamisé, semble avoir été emprunté à l'origine à la

Hal, l'"état d'extase".
L'union désirée avec le Divin, même si elle n'est réalisée que ponctuellement, est un état ineffable et inaccessible à l'homme commun. L'"état mystique", l'"extase", ou *hal*, conduit à une immersion dans la lumière divine.

La tariqa.
Par la pratique de la *tariqa*, la "voie mystique" du soufisme, l'homme s'efforce de se libérer des illusions de la multiplicité et du mensonge pour atteindre l'intégrité, qui est, pour lui, l'unique espoir de mériter son salut. Le but de l'ascèse

soufi est l'incarnation dans la dimension pleine de *al-Insan al-Kamil*, l'"homme parfait", l'anthropos universel. Dieu est Un, et, pour devenir Un, l'homme doit s'ouvrir à l'universel.

bay'a, une cérémonie d'origine incertaine. L'enseignement du soufisme prend naissance vers la moitié du IXe siècle à Bagdad, qui sera le centre à partir duquel il se diffusera. Al-Jounayd al-Baghdadi (m. 910), l'un des représentants de l'école de Bagdad, est réputé pour avoir prôné une des doctrines les plus cohérentes du soufisme. Son système de théosophie islamique, servi par une intelligence profonde et originale, n'a peut-être jamais été égalé par la suite. Différents apports étrangers, essentiellement chrétiens et persans, ont contribué au sein du mouvement à un si profond remaniement des conceptions islamiques que des adeptes en viendront à un dépassement des prescriptions de la chari'a, lesquelles seront en partie récusées.
Le précurseur de cette orientation est Abou Mansour al-Hallaj (858-922), un soufi d'origine persane. C'est d'ailleurs en Perse qu'elle trouve son prolongement avec cheikh Abou Sayd Abi al-Khayr (967-1049), qui pose les fondements de

l'interprétation symbolique de la poésie soufi.
Un autre poète de langue persane, Jalal al-Dîn Roumi (1207-1273), célèbre pour ses mathnavi, ses "distiques", jouera un rôle capital pour la diffusion du soufisme dans le monde turcophone. Ces différents courants de pensée ont ouvert grande la porte à l'initiative individuelle, donnant naissance à une multitude de confréries dont bon nombre finiront par perdre de vue l'idéal authentique du soufisme. C'est seulement aux XIIe et XIIIe siècles qu'on a connaissance de l'existence d'ordres soufis organisés. Le fondement généalogique de l'autorité spirituelle, appelée silsila, est probablement un emprunt dérivé de l'isnâd, le "transmetteur", qui est une des méthodes instituées par les traditionalistes pour authentifier la validité des hadiths. C'est ainsi que le soufi al-Khuldi (m. 959) fait remonter l'authenticité de sa doctrine au garant Hassan al-Basri, et de celui-ci au Prophète lui-même par la médiation du compagnon Anas ibn Malik. L'ordre nakchbandi appuie sa généalogie sur le

premier calife Abou Bakr et l'ordre des souhrawardi se réclame d'Omar, le second. Le cheikh est le cœur de la confrérie soufi, et la plupart des activités spirituelles de celle-ci se déroulent d'ailleurs dans son lieu de résidence et d'enseignement, zaouïa. Le soufisme a été un vecteur important de l'expansion et de la domination islamique en Afrique nord-occidentale et en Afrique noire. Au XIe siècle, la dynastie des Almoravides avait conduit un djihad d'islamisation orthodoxe. Au XIIe siècle lui succède la dynastie des Almohades dont le chef, le

Danse soufi à Matmata, en Tunisie. Les soufis aspirent à l'union totale avec Dieu – en quelque sorte une extase religieuse – et non pas à obtenir la récompense finale au Paradis grâce au respect des lois coraniques.

Al-Hassan al-Basri.
Parmi les auteurs importants il faut mentionner al-Hassan al-Basri, né en 642 à Médine et mort en 728 à Bassora. Il prend appui sur le célèbre dit : "Comporte-toi en ce monde comme s'il n'avait jamais existé et avec l'autre

comme si tu ne devais jamais le quitter. Ô homme, vends ta vie présente pour ta vie future et tu les gagneras toutes deux, tu ne perdras ni l'une ni l'autre." Son enseignement fervent lui vaut toujours d'être considéré comme un important fondateur.

Rabia al-Adawiya.
L'origine de la doctrine de l'amour pur, le seul amour digne de Dieu étant l'amour gratuit, est attribué à l'illustre poétesse Rabia al-Adawiya (721-801), de la première période de la mystique islamique.

Page du Langage des oiseaux, *œuvre en vers à contenu spirituel de Farid al-Din Attar. Perse, XVᵉ-XVIᵉ siècles. Biblioteca Palatina, Parme.*

En bas : Sage en méditation. École Moghul (XVIIᵉ siècle). British Museum, Londres.

mahdi Ibn Tourmart, impose l'orthodoxie ach'arite d'inspiration soufi. C'est à Abou Madyan que l'on doit la création du centre de rayonnement soufi en Afrique du Nord au XIIᵉ siècle. Il a comme élève le grand théosophe panthéiste cheikh Akbar ibn Arabi (1165-1240) de Murcie en Espagne. Abou l-Hassan al-Châdhilî (1196-1258), qui fut un disciple d'Abou Madyan, est le fondateur de l'ordre de la *châdhiliyya*. L'un de ses élèves, Ibn Ata Allah d'Alexandrie (m. 1309), nous a légué un recueil de maximes, *al-Hikam*, le texte fondamental de l'ordre. La *nakchbandiyya*, fondée au XIVᵉ siècle à Boukhara par Muhammad Baha'al-Dîn Nakchbandî (1317-1389), est une des confréries les plus importantes, dont l'influence s'étend actuellement en Asie centrale, en Turquie, dans l'Orient musulman et jusqu'en Europe. Ordre orthodoxe, il a pu séduire une élite cultivée par son austérité car il interdit la danse, la musique et toute forme extrême de *dhikr*. Les soufis réussirent très vite à reformuler la

signification traditionnelle de *khawf*, "crainte", et de *radja*, "espérance", en y apportant une nouvelle dimension ésotérique. Pour les soufis, ce sont les deux principes qui permettent d'accéder à la vraie connaissance de Dieu par la médiation de "l'état d'anéantissement" ou *fanâ*, "finitude", et de la *baqa*, "la réalisation dans la subsistance en Dieu", "l'existenciation", l'état le plus avancé de l'ascèse soufi. Dès les premiers exercices, la formation du soufi, fondée sur des pratiques ascétiques et une aspiration à la purification de l'âme, est tout entière tournée vers son but unique qui est de marcher dans la voie d'Allah. La progression spirituelle, nommée *moudjahada*, est atteinte par le passage à des stades de plus en plus élevés, nommés *maqamat*. Le cœur de la vision soufi est *al-houbb al-ilahi*, "l'amour pour le Divin", sur lequel repose la théorie de la connaissance et de l'existence. L'amour est volonté : ainsi, l'amour de Dieu pour Sa créature est Sa volonté propre, cause de la grâce

qu'Il lui concède. Le mot "amour" est très présent dans le Coran, il désigne aussi bien le mouvement descendant de l'amour divin vers Son serviteur que l'amour ascendant du Serviteur vers Dieu, et l'"échange" entre Dieu et Son serviteur : "Dis vous aimez Dieu, suivez-moi pour que Dieu vous aime et vous pardonne vos péchés" (Coran III, v. 31). L'Égyptien Dou l-Noun al-Misri (796-856) ajoute à cette nouvelle conception de l'amour divin la notion de *ouns*', "intimité confiante". Cette intimité avec Dieu réside dans le désir de le servir avec un total désintéressement, avec dans le cœur la joie que donne l'Aimé à qui le contemple. Peu à peu les soufis recourent à un langage de plus en plus hermétique, dont le sens échappe aux non-initiés. Les *chatahat*, les "pâmoisons", avaient valu bien des ennemis aux soufis, car elles étaient considérées comme contraires à la *chari'a*. En effet, les *chatahat* sont l'expression visible des deux éléments importants du *fanâ*, "finitude" : *zawal al-hidjâb*, "le dévoilement", et *ghalabat al-chouhoud*,

L'ordre de la Kadiriyya.
Un des ordres soufis les plus célèbres de nos jours est la Kadiriyya, dont le nom vient de son inspirateur Abd al-Kadir al-Jilani, né en 1078 dans la région du Jilan en Perse, et mort à Bagdad en 1166. Son enseignement est un appel pressant à ne

pas subordonner l'exaltation de la charité et du devoir humain à la considération des intérêts temporels. Fondée à l'origine à Bagdad, cette confrérie a essaimé en Afrique du Nord, en Afrique noire, dans le nord de la Turquie et en Orient jusqu'en Indochine.

La Souhrawardiyya.
Développé autour de la doctrine mystique de Chihab al-Din al-Souhrawardi (1145-1234) cet ordre s'est répandu en Afghanistan et en Inde. Au XIXᵉ siècle, la théorie de l'illumination de l'ordre de la Sanousiyya s'en inspirera.

"la priorité de la contemplation".
Le soufi a le désir de supprimer toutes les médiations qui le séparent de l'Aimé car chaque médiation est pour lui un signe que l'union avec Dieu n'est pas encore réalisée. La première des médiations qu'il doit surmonter est la *chari'a*. Ce qui s'avère possible à condition de l'interpréter différemment de la Tradition, d'une façon qui peut être dite "intérieure" en appelant la *haqiqa*, la "vérité". De la même façon, la liturgie interprétée dans un sens symbolique prend une nouvelle dimension ésotérique. Cette orientation déjà notable chez les premiers soufis, comme Rabia ben Ismaïl al-Adiwiya, Marouf al-Kharkhi (m. 815) et bien d'autres, attirera sur eux la condamnation et les représailles sévères des traditionalistes.
Dans le soufisme la pratique du culte est dissociée de toute idée de récompense. Son unique fonction est d'arriver à la connaissance de l'Aimé sans rapport avec la menace de l'enfer ou l'espoir du paradis.
Pour accéder à la

contemplation du Divin, *al-chouhoud*, deuxième état de *fanâ*, le serviteur de Dieu doit se libérer de toute attache à son être individuel jusqu'à parvenir à une sorte d'anéantissement du sujet. Cet idéal mystique a contribué à la singularisation du soufisme face aux pratiques dominantes de l'islam ; même si les soufis font attention à conserver la plus grande discrétion, l'extase est un état qui échappe largement au contrôle personnel. Leur attachement passionné à l'extase et aux *chatahat* a toujours été un motif d'hostilité et de rejet du soufisme par les traditionalistes.
Le but de la technique mystique du soufi est la *ma'rifâ*, "la connaissance". Quand il l'atteint, il ne voit rien d'autre que Dieu, et il est entièrement anéanti en Lui. La connaissance est un appel intérieur dont son cœur se remplit. C'est un état de "méditation, d'observation intérieure", et à son acmé la personne est anéantie, retirée hors du monde et d'elle-même. Dans la doctrine soufi, la renonciation au monde

terrestre, la pratique de la dévotion, par exemple, sont considérées comme le premier pas vers le *tassawouf*, "l'ascétisme". Le détachement du monde matériel doit découler de l'assentiment sans réserve à la volonté de Dieu, et du fait de se contenter de ses faveurs.

Derviches tourneurs. Pour cet ordre soufi (mawlawiyya) la danse sert à atteindre l'état d'extase.

L'ordre de la Rifaiyya.
Ahmad al-Rifai (m. 1182), fonde la Rifaiyya à Bassora en Irak. Cette confrérie s'est ramifiée en Égypte, en Turquie et en Asie.

L'ordre de la Badawiyya.
Vénéré comme l'un des plus grands saints, Ahmad al-Badawi (m. 1276) est à l'origine de la confrérie de la Badawiyya, qui a introduit certains éléments de l'Égypte préislamique dans ses pratiques.

La Mawlawiyya. Plus important et plus raffiné des ordres populaires turcs, cette confrérie fut fondée par le poète Jalal al-Dîn Roumi (1207-1273). Ses adeptes, les "derviches tourneurs", et les poésies de Roumi sont devenus célèbres en Occident.

Salle du caldarium dans le palais de Comares. Alhambra, Grenade, Espagne.

En bas : Carrelage en céramique (fin du XIIIe siècle). Musée d'art oriental, Rome.

Le bassin méditerranéen a été le lieu de confrontation et d'échange entre l'Islam et l'Europe. Si la conquête arabe de l'Espagne a été une surprise pour le monde chrétien, pour les musulmans elle est dans la continuité du mouvement amorcé pendant la vie du Prophète. Chez les nomades arabes, les habitudes de migrations et de razzias relèvent de traditions qui n'excluent pas la violence. Avec l'avènement de l'islam, ces coutumes trouveront matière à se survivre en étant canalisées dans le *djihad* pour la voie d'Allah. L'énergie que les tribus dispersaient en luttes intestines sera focalisée vers l'extérieur au profit de l'expansion du *Dâr al-Islâm*, "la demeure de l'islam". Les attaques sont dirigées d'abord contre l'Irak et la Syrie, puis contre l'Iran et l'Égypte, dans une exaltation croissante à la mesure des victoires et du butin qu'elles rapportent.

Au départ le *djihad* avait été conduit contre les tribus polythéistes et les tribus juives qui avaient enfreint le pacte stipulé avec le Prophète. Mais pendant toute la période de l'expansion islamique, le *djihad* ne fut pas utilisé pour soumettre les peuples conquis. En effet, un traitement particulier a toujours été réservé aux *Ahl al-Kitâb*, les "Gens du Livre". L'islam leur a octroyé dès le début le statut de *dhimmis*, de "protégés" – nom qui fut donné aux *mouhahiddoun*, les "monothéistes" –, et ils pouvaient bénéficier d'une relative indépendance individuelle et d'une certaine liberté de culte à l'intérieur de l'État islamique, à condition qu'ils s'acquittent d'une taxe, la *djizya*, en échange de la protection de l'État. Dans la péninsule Ibérique, le pouvoir passe de main en main par les gouverneurs nommés à la guise du calife de Damas, jusqu'à la chute de la dynastie des Omeyyades, qui se conclut dans un bain de sang. Le destin de l'Andalousie va alors prendre un tour radicalement différent avec l'avènement de la dynastie abbasside (750-1258). Abd al-Rahman ibn Mou'awiya et l'un de ses frères qui avaient réussi à échapper au massacre perpétré par les Abbassides se réfugient en Afrique du Nord. Abd al-Rahman saura profiter habilement du conflit qui oppose la faction *qaysite* alors au pouvoir en Andalousie à la faction

Les Arabes et le sud de l'Italie.
Pendant la longue période de la présence arabe, la Sicile vit un essor économique et social, profite de l'importation de techniques agricoles perfectionnées, développe une culture et un art raffinés dont on peut admirer encore de nos jours de magnifiques témoignages. Dans la période de déclin qui suit, la présence arabe finira par se réduire à une bande de rebelles que Frédéric II déportera à Lucera, dans les Pouilles. Entre-temps et surtout pendant les IXe et Xe siècles, les Arabes sillonnent le sud de l'Italie (Calabre, Pouilles, Campanie et Basilicate), ces incursions conduisant dans deux cas, à Bari et à Tarente, à la création d'émirats de très courte durée.

kalbite. Finalement, en 756, son combat contre le gouverneur andalou le mène aux portes de Cordoue où il obtient la victoire. Il a vingt-six ans et il fait une entrée triomphale dans la ville dont il va faire la capitale de son émirat. Après avoir pacifié le pays, Abd al-Rahman, surnommé *al-Dahil*, "l'immigré", établit les bases d'un pouvoir qui assure la complète indépendance de son émirat face à l'Empire islamique. La puissance de l'émirat est considérablement renforcée sous Hichâm, fils et successeur d'Abd al-Rahman. En Andalousie, comme dans le reste de l'Occident islamique, s'impose l'école juridique sunnite du malékisme. Grâce à elle, l'Islam sera redevable à l'Espagne d'une série d'excellents lettrés et juristes qui seront un des piliers les plus solides du régime omeyyade. Avec Abd al-Rahman II (792-852), l'organisation de l'État s'inspire du modèle abbasside, qui devait lui-même beaucoup à la cour byzantine. D'ailleurs les relations politiques entre Cordoue et Constantinople sont fréquentes.

Ce cosmopolitisme naissant est très lié à la curiosité et à la diversité des intérêts personnels d'Abd al-Rahman II. Passionné de sciences occultes, particulièrement versé dans la jurisprudence de l'école malékite, il aime s'entourer de musiciens, de poètes, de philosophes et d'astrologues parmi lesquels on citera Abbas ibn Firnâs (m. 888), Yahiâ al-Gazal (774-864) et Ziryab (m. 845). Le premier n'hésite pas à se lancer du haut d'une colline avec un harnachement de plumes et de soie pour réussir un long vol plané dont il sort indemne. Le second, qui doit son surnom *al-Gazal*, "la gazelle", à sa grâce physique, fut un poète, auteur de satires féroces qui n'épargnaient pas l'émir lui-même. L'Irakien Ziryab est une personnalité originale. C'est un créateur de modes qui imposera l'usage du blanc pour l'été à toute la société musulmane espagnole, celui des couleurs délicates pour le printemps et les règles cérémonielles des banquets. C'est aussi un musicien raffiné et un gastronome réputé. Le calife Abd al-Rahman III, surnommé *al-Nasir*, "le victorieux"

(890-961), aura un rôle culturel important lorsque, aux alentours de 948-949, des envoyés de Constantinople apportent à al-Andalous des copies grecques du livre de Dioscoride sur la médecine et de celui de l'historien latino-hispanique Paolo Orosio. La rédaction d'une édition en arabe est confiée au moine Nicolas et au juif Hasdai ibn Shaqrìt (951). La prédilection du nouveau calife al-Hakam II, fils d'Abd al-Rahman III, pour les arts et les sciences contribue à un épanouissement sans précédent. La poussée démographique qui

Patio de los Leones. Alhambra, Grenade, Espagne.

En bas : Détail d'une décoration en marbre sculpté. Alhambra, Grenade, Espagne. C'est justement en Espagne qu'eut lieu le premier échange important avec l'Europe, duquel devaient naître les échanges essentiels pour les deux mondes. C'est en 1492 que les musulmans furent repoussés de la péninsule Ibérique où ils avaient été présents pendant six siècles.

Al-Andalous.
Avec l'apogée d'al-Andalous sous le califat de Cordoue, la civilisation musulmane peut s'enorgueillir d'une de ses plus importantes réalisations culturelles. Le prestige de l'État cordouan est manifesté

avec éclat : on bat la monnaie de l'émirat dans la *Dâr as-sikka*, à l'intérieur du palais de l'Alcazar, on tisse des étoffes précieuses qui arborent le nom de l'émir dans les *tiraz*, les ateliers de création, on instaure des monopoles d'État, et les relations

commerciales avec l'Orient, l'Afrique du Nord voisine, le monde européen en général et slave en particulier, se multiplient.

Plafond en bois de la chapelle Palatine de Palerme (1143 environ). Œuvre d'école fatimide, exemple de l'art islamique en Sicile.

En bas : Miniature d'al-Wasity représentant l'intérieur d'une bibliothèque (1237). Bibliothèque nationale, Paris.

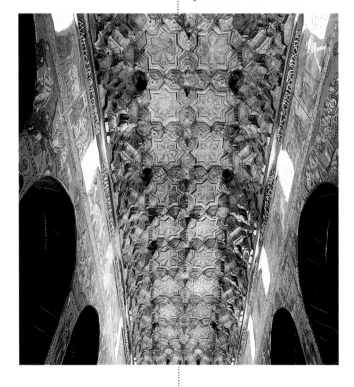

l'accompagne laisse supposer à quel point cette période est une période de bien-être économique : la grande Cordoue ne compte pas moins d'un demi-million d'habitants.

Le califat omeyyade prend fin officiellement le 30 novembre 1031 quand, excédée par l'impossibilité de gouverner le pays et par les ambitions de politiciens avides et incapables, la bourgeoisie citadine se prononce en faveur de l'instauration d'une république régie par un conseil de notables. Mais la fin du régime est déjà signée le 9 novembre 1031 avec la mise à sac de Cordoue par les berbères, le meurtre du calife Hichâm III (1029-1031) et la dispersion du patrimoine bibliothécaire irremplaçable rassemblé par al-Hakam III.

Faute d'un chef capable de contenir le mouvement centrifuge, al-Andalous sera morcelé en une pléthore de républiques, de principautés et de royaumes à la solde d'une aristocratie de robe ou d'épée, d'hommes de loi et de soldats dont les ambitions effrénées sont plus évidentes que leur aptitude à gouverner. On voit émerger à la tête des royaumes régionaux, appelés *tawa'if*, les Arabes, les Berbères ou les esclavons qui avaient conquis leur indépendance à la fin de la dictature amiride et avaient constitué une mosaïque de zones de pouvoir en péninsule Ibérique.

En 1236, Ferdinand III de Castille, le Saint, conquiert Cordoue. Le 6 janvier 1492, avec l'entrée triomphale des rois "très catholiques", la "Reconquista" est achevée. Cette même année ils décrètent l'expulsion de la très nombreuse colonie juive de la ville et du royaume. En 1609, Philippe III signe le décret d'expulsion du royaume de tous les sujets musulmans.

Poésie arabe et poésie occidentale

Le terme *mouwachchahât* signifie "collier de perles à deux rangs de couleurs différentes", mais cette image désigne en fait un genre poétique composé de cinq à sept strophes ou plus, avec des combinaisons savantes de rimes.

Le véritable inventeur de cette forme poétique fut Mouqaddam al-Qabray (840-912), un artiste andalou aveugle.

Au départ, les *mouwachchahât* furent écrites en langue arabe classique par différents auteurs : Ahmad ibn Abd Rabbihi (860-940), le principal poète andalou, Ibn Abbadah al-Qazzâz (m. 1095), Lisân ad-dîn ibn al-Khatîb (1313-1374), etc. Par la suite, la forme fut complétée par la reprise d'un vers ou d'un distique en langue parlée, arabe ou espagnole, qu'on appelle *hargah*. Cette forme de

La bibliothèque d'al-Hakam.

Dans un pays renommé pour son haut niveau d'instruction et pour son amour des livres, la bibliothèque personnelle d'al-Hakam III est le meilleur symbole de l'âge d'or du califat cordouan. La quantité impressionnante de manuscrits, plus de quatre cent mille volumes en plusieurs langues, ne sera égalée plus tard que par l'importance du fonds de la bibliothèque d'Ibn Abbas, le riche vizir du prince d'Almeria.

poésie strophique peut être considérée comme une des expressions les plus caractéristiques et les plus authentiques de l'art arabo-andalou.

Elle acquiert ses titres de noblesse littéraire avec Ibn Qazâm (1108-1160), son plus grand et plus célèbre représentant. Voyageant continuellement de ville en ville il passa sa vie à chanter les louanges des divers gouverneurs des États unifiés sous la domination des *Morabitoun*. Les thèmes récurrents de sa poésie sont le vin, l'amour et surtout la sensualité si caractéristique de son tempérament.

La *mouwachchahât* est à l'origine d'un autre genre de composition en langue vulgaire, appelé *az-Zadjal*. Parmi les précurseurs de ce style on peut citer Abou Yousouf ar-Ramâdî (926-1013), Saïd ibn Abd Rabbihi (m. 954) et Ibn Mâ'as-Samâ', mort à Malaga en 1031.

Selon Julian Ribera, spécialiste de la poésie des troubadours et des trouvères, c'est à la diffusion de ce genre de poésie arabe en Europe et en particulier en Espagne et en Sicile qu'on doit la naissance de la poésie européenne, à commencer

par le *dolce stil novo*. Le recours à ce style dans les poèmes des premiers troubadours se retrouve dans la poésie populaire sicilienne, italienne et européenne, dans la poésie religieuse des franciscains aux XIIIe et XIVe siècles, dans les chansons et les chants carnavalesques de la Florence du XVe siècle.

L'art de l'*az-Zadjal* est illustré en Espagne par des poètes comme Alphonse X le Sage au XIIIe siècle, par Villasandino et par Juan del Encina aux XVe, XVIe siècles. Ce n'est pas seulement par sa forme mais par son contenu que cette influence est intéressante. La thématique de l'amour courtois est déjà développée dans la poésie arabo-andalouse et dans le *Zadjal* d'Ibn Qazman avant d'être adoptée et popularisée par la poésie provençale. L'amour courtois est en effet le sujet principal du livre *al-Zahrah*, "La rose", d'Abou Bakr az-Zâhaïrî, mort à Bagdad en 910. C'est lui qui nomme *al-Houbb al-'oudhrî* la doctrine de l'amour platonique parce qu'elle a été élaborée de très longue date dans la poésie de la tribu arabe des Banou 'oudhra, qui vivaient en

Syrie à l'époque omeyyade. Plus tard, l'écrivain et philosophe andalou Abou Muhammad Alî ibn Hazm (994-1064) proposera dans son traité *Tawq al-Hamâma*, "Le collier de la colombe", une élaboration théorique du thème amoureux. Cette influence est remarquable dans la poésie de Dante et de Pétrarque, en particulier avec l'utilisation du "sonnet" dont la construction est très proche du genre *mouwachchahât*.

Fragment d'un poème d'Ibn Zamrack dans la salle des Dos Hermanas, Alhambra, Grenade, Espagne. La poésie arabo-andalouse est à l'origine de plusieurs genres poétiques occidentaux.

En bas : Les amants, détail d'une peinture persane du XVe siècle. Florence, collection privée.

Éléments communs.

Le rapprochement entre la poésie des troubadours, la *mouwachchahât* et l'*az-Zadjal*, s'appuie sur des similitudes comme la présence dans ces deux genres de personnages tels que le "voyeur", le "cancanier", le "jaloux" et

le "voisin". On y retrouve le rôle du confident des deux amoureux. Le nom de l'aimé n'est jamais prononcé mais désigné par des expressions comme "Monseigneur" ou "le bon voisin". Tous les thèmes essentiels – l'éclosion de l'amour au premier regard,

l'effarouchement de l'aimée, les tourments de l'amour sincère qui culmine dans la mélancolie, l'insomnie et parfois même la mort, les pleurs pour l'aimé qui part à la guerre – sont déjà présents dans la poésie arabe avant son arrivée en Europe.

Glossaire

Adhan : appel à la prière des musulmans.

Ahl al-Kitâb : "les gens du Livre", les adeptes des religions de la révélation écrite : juifs, chrétiens, mazdéens.

Arkân : piliers de l'islam. Ce sont les cinq préceptes fondamentaux : la profession de foi, la prière, l'aumône, le jeûne et le pèlerinage.

'Achoura : le dixième jour du mois de Mouharram, pendant lequel il est recommandé d'observer un jeûne. Il coïncide avec la commémoration de l'assassinat d'Hussein, fils d'Alî.

Bismi-Allah ar-Rahmani ar-Rahimi : "Au nom d'Allah, le Clément, le Miséricordieux"; c'est la formule qui ouvre toutes les sourates du Coran. Elle précède la lecture de documents, de discours et l'accomplissement de toute action par le croyant.

Chahâda : la profession de foi, premier pilier de l'islam.

Chari'a : partie de la doctrine islamique que depuis toujours les musulmans considèrent comme fondamentale en tant que Loi qui discipline toute activité privée ou publique.

Chî'a : "parti" d'Alî, cousin et gendre du Prophète; les musulmans qui suivent la *Chî'a* sont les chiites.

Choura : conseil désigné par le premier calife Omar et composé de Compagnons du Prophète.

Djihad : "effort", le devoir des musulmans de prendre les armes "sur le chemin de Dieu". Il est considéré comme une obligation par la communauté mais ne fait pas partie des cinq piliers.

Djizya : c'était l'impôt exigé des non-musulmans résidents dans l'État islamique.

Fatiha : "la Liminaire", "l'Ouvrante"; nom de la sourate qui inaugure le Coran. C'est le texte le plus utilisé du Livre sacré.

Fiqh : science du droit islamique auquel est sujet le musulman. Il classe juridiquement les actes en degrés qui vont de l'obligatoire à l'interdit.

Ghousl : ablution totale du corps, nécessaire pour rétablir l'état de pureté indispensable à l'accomplissement des actes rituels, dans le cas où le fidèle se trouverait en condition de grande impureté.

Hadith : "dit", "propos", "récit". Les *hadiths* rapportent les paroles, les œuvres et les comportements du Prophète, transmis oralement.

Hâjj : Grand Pèlerinage de La Mecque que tout musulman doit accomplir au moins une fois dans sa vie, à une période précise de l'année.

Hanif : ceux qui, à l'époque préislamique, tout en n'acceptant pas le polythéisme, n'avaient pas adhéré au christianisme ou au judaïsme. Par la suite, ce terme désignera quiconque croit en un Dieu unique.

Haram : signifie "sacré" et "interdit"; désignait à l'origine la qualité sacrale du territoire qui entoure La Mecque.

Ibâdât : dans la *chari'a*, l'ensemble des actes physiques du culte par lesquels l'homme entre en rapport avec Dieu.

Idjmâ' : dans le droit islamique, le "consensus", l'accord unanime des érudits sur les points importants conformes à la *chari'a*. C'est la troisième source du droit islamique.

Ijtihad : "effort de recherche personnelle" qui désigne l'utilisation du raisonnement dans l'étude du Coran et de la *sunna*.

Imam : "préposé", "chef", "guide". Parmi les différentes significations la plus courante est : celui qui conduit la prière commune à la mosquée.

Isma'iliyya : désigne la branche des chiites dont le nom dérive d'Isma'il que les chiites reconnaissent comme dernier imam légitime.

Imâmiyya : la communauté musulmane chiite qui attend le retour du douzième imam, Muhammad al-Mahdi, disparu en 874.

Kaaba : l'édifice sacré de forme cubique situé au centre de La Mecque. La tradition islamique attribue sa construction à Abraham.

Khoulafâ' ar-Râchidoun : les "califes bien guidés", ce sont les quatre premiers califes orthodoxes, successeurs du Prophète.

Khoutba : le prône religieux fait par l'imam qui conduit la prière commune du vendredi dans les mosquées.

Kibla : la direction de La Mecque vers laquelle doivent se tourner les fidèles pendant la prière.

Madhab : "méthode" ou "rite" ; désigne les quatre écoles de droit musulman sunnite : le hanafisme, le malikisme, le chafiisme et le hanbalisme.

Madrassa ou Madrassa qor'aniyya : école coranique. Elle est généralement dans ou à côté de la mosquée. On y enseigne le *fiqh* et le Coran.

Mihrab : niche façonnée dans un mur de la mosquée orientée vers La Mecque

Mou'amalât : dans la *chari'a* la sphère des relations entre les personnes privées.

Mufti : suprême autorité juridique qui a la faculté d'émettre une évaluation juridique (*fatwa*) en matière de droit islamique.

Oumra : petit pèlerinage de La Mecque, que l'on peut faire à n'importe quelle époque de l'année.

Oulémas : pluriel de "alim", appellation qui désigne les érudits versés dans la connaissance du Coran.

Oumma : "communauté" ou "nation", désigne l'ensemble des peuples musulmans sans distinction ethnique ou culturelle.

Qiyas : "analogie" ; c'est la quatrième source du droit musulman.

Qor'an : Coran ; pour les musulmans le plus grand miracle, inimitable, le verbe éternel d'Allah, coéternel de Dieu et incréé. Il est révélé par Mahomet, intermédiaire physique de la Révélation divine.

Ramadan : neuvième mois du calendrier lunaire musulman au cours duquel le Coran fut révélé au Prophète et au cours duquel a lieu le jeûne annuel.

Sadaqa : aumône libre, non réglementée par des normes précises comme la *zakat*.

Salafiyya : mouvement islamique réformiste né en Égypte entre le XVIIIe et le XIXe siècle, dans le but d'expurger tous les éléments étrangers de la tradition islamique.

Salât : deuxième pilier de l'islam, la prière canonique, faite cinq fois par jour, aux moments prescrits.

Sawm : quatrième pilier de l'islam, le jeûne du mois de Ramadan prescrit à tout musulman adulte et en bonne santé.

Sa'yi : la course que les pèlerins effectuent sept fois entre les rochers de Safa et de Marwa pendant le Grand Pèlerinage.

Soufisme : terme qui désigne le courant mystique islamique.

Sunna : "comportement" ; c'est une des quatre sources de la théologie et du droit islamiques avec le Coran, l'*idjmâ'* et le *qiyas*. Les sources de la *sunna* sont les *hadiths*.

Sourate : chacun des 114 chapitres qui composent le Coran.

Takbir : la formule *Allahou akbar*, "Dieu est Grand", que le fidèle prononce avant d'accomplir certains actes rituels.

Tariqa : "la voie mystique", elle désigne les confréries mystiques musulmanes.

Tawaf : circumambulation que les fidèles accomplissent sept fois de suite en sens anti-horaire autour de la Kaaba pendant les pèlerinages.

Wahhabiyya : mouvement rigoriste sunnite fondé par Mohammed ibn Abd al-Wahhab en Arabie centrale vers la moitié du XVIIIe siècle.

Woudou : petite ablution nécessaire pour accomplir les actes de culte en état de pureté.

Zakat : "l'aumône légale", troisième pilier de l'islam.

Zaydiyya : secte musulmane chiite de tendance modérée, fondée par Zayd ibn Alî, mort en 740.

L'islam dans le monde

Actuellement la diffusion de l'islam ne se limite pas aux pays faisant partie du monde islamique : les musulmans sont aussi très présents en Europe et sur le Continent américain. Dans son ensemble l'islam est la seconde religion après le christianisme. Les musulmans sont environ 840 000 000, soit 17 % de la population mondiale.

Moyen et Extrême Orient : 550 000 000 ; Afrique : 230 000 000 ; Républiques asiatiques et ex-Union soviétique : 45 000 000 ; Europe : 9 000 000 ; Continent américain : 2 000 000. En France, les musulmans sont environ 3 000 000.
Le pays islamique le plus important est l'Indonésie dont les 147 000 000 de musulmans représentent 82 % de la population ; suivent le Pakistan (80 000 000, 97 %), l'Inde (80 000 000, 12 %), le Bangladesh (75 000 000, 80 %), la Turquie (99 %) et l'Égypte (85 %). Ils sont 55 000 000 en Chine. Au Moyen-Orient et en Afrique du Nord, les musulmans représentent environ 90 % de la population.

Dans le monde entier, les sunnites sont environ 700 000 000 et les chiites 90 000 000. Les chiites sont majoritaires en Iran (90 %), Irak (plus de 55 %), Liban, Azerbaïdjan, Oman et Yémen (50 % de chiites zaydites). Tous les autres pays des régions islamiques sont en majorité sunnite.

En Europe balkanique la présence musulmane est importante en Bosnie-Herzégovine (environ 44 % de la population) et en Albanie (70 %). Les autres pays d'Europe où vit une communauté musulmane consistante sont la France (5 % de la population) et l'Allemagne (3 %).

Le calendrier islamique

Le calendrier musulman est calculé sur l'année lunaire composée de 354 jours en moyenne (contre les 365 de l'année solaire) divisés en douze mois : Mouharram, Safar, Rabî' al-Awal, Rabî' at-Thâni, Djoumada al-Awal, Djoumada at-Thâni, Radjab, Chaaban, Ramadan, Chaouâl, Doul-Qaada et Doul-Hidja.
Le début de chaque mois est déterminé par la phase de la nouvelle lune et a une durée variable. Le vingt-neuvième jour de chaque mois les musulmans attendent le lever de la nouvelle lune : si elle est visible, le mois suivant commence le lendemain, dans le cas contraire ce sera le trentième jour du mois courant.
Le calcul des années commence à la date conventionnelle de l'Hégire, le 16 juillet 622. Bien qu'assez approximative, une façon de calculer l'année musulmane correspondant à l'année solaire consiste à appliquer la formule suivante :

$$\text{année musulmane} = (\text{année chrétienne} - 622) + \frac{(\text{année chrétienne} - 622)}{32}$$

Bibliographie

Les traductions des citations du Coran sont élaborées à partir de la traduction de Jacques Berque et des traductions utilisées par Malek Chebel, sauf pour la Sourate XXXIII v. 21 qui est de Hamza Boubakeur. *(N. d. T.)*

Alili, R., *Qu'est-ce que l'islam ?*, La Découverte, Paris, 1996.

Arkoun, M., Gardet, L., *L'Islam, hier-demain*, Buchet Chastel, Paris, 1982.

Arkoun, M., *La Pensée arabe*, PUF, "Que Sais-Je ?", Paris, 1975.

As-Saiyd Sabiq, *Fiqh as Sunnah* [Le droit de la sunna], Beyrouth, 1983.

Balta, P. (sous la dir. de), *Islam, civilisation et sociétés*, Le Rocher, Paris, 1991.

Balta, P. (sous la dir. de), *L'Islam dans le monde*, Le Monde Éditions, Paris, 1995.

Beaumont, P. de, *Mahomet, fondateur de l'islam*, Bayard Éditions-Centurion, Paris, 1995.

Berque, J., trad., *Le Coran, essai de traduction*, Albin Michel, Paris, 1995.

Berque, J., *Relire le Coran*, Albin Michel, Paris, 1993.

Bonaud, C., *Le Soufisme, Al-Tasawuf et la spiritualité islamique*, Maisonneuve et Larose-IMA, Paris, 1991.

Boubakeur, H., trad., *Le Coran*, Fayard, Paris, 1979.

Bukhari, *Sahîh* [L'authentique], Le Caire, 1956.

Chebel, M., *Dictionnaire des symboles musulmans*, Albin Michel, Paris, 1995.

Chevalier, J., *Le Soufisme*, PUF, "Que Sais-Je ?", Paris, 1996 (1re éd. 1984).

Corbin, H., *En Islam iranien*, 3 vol., Gallimard, "Tel", Paris, 1991.

Delcambre, A.M., *L'Islam*, La Découverte, "Repères", Paris, 1991.

Djaït, H. (et al.), *Connaissance de l'Islam*, Syros, Paris, 1992.

Fakhry, M., *Histoire de la philosophie islamique*, Le Cerf, Paris, 1989.

Glassé, C., *Dictionnaire encyclopédique de l'islam*, Bordas, Paris, 1991.

Hourani, A., *Histoire des peuples arabes* (en cours de traduction).

Ibn al-Athir, *Ta'rik al-Kamil* [La chronique complète], 12 vol., Le Caire, 1883.

Ibn Hanbal, *Musnad* [les *hadiths* authentiques du Prophète], 6 vol., Beyrouth, 1969.

Ibn Qutaybah, *'Uiyun al-Akhbar* [Les yeux des nouvelles], 4 vol., Le Caire, 1923-1930.

Kepel, G. (sous la dir. de), *Exils et royaumes. Les appartenances au monde arabo-musulman aujourd'hui*, Presses de Sciences-Po, Paris, 1994.

Laroui, A., *Islam et modernité*, La Découverte, Paris, 1987.

Laurens, H., *L'Orient arabe. Arabisme et islamisme de 1798 à 1945*, Armand Colin, Paris, 1993.

Mantran R. (et al.), *Les Grandes Dates de l'islam*, Larousse, Paris, 1990.

Merad, A., *L'Islam contemporain*, PUF, " Que Sais-Je ? ", Paris, 1992.

Miquel, A., *L'Islam et sa civilisation, VII-XXe siècles*, Armand Colin, Paris, 1982.

Muslim, *Sahîh* [L'authentique], Le Caire, 1956.

Rodinson, M., *L'Islam, politique et croyance*, Fayard, Paris, 1993.

Shalabi, A., *At-Tarikh al-Islami wa-l-Gadarah al-Islamyyah* [Histoires de l'islam et de la civilisation islamique], Le Caire, 1960.

Sourdel, D., *L'Islam*, PUF, "Que Sais-Je ?", Paris, 1995 (1ère éd. 1949).

Soyer, J.C., *Atlas mondial de l'islam activiste*, Table Ronde, Paris, 1991.

Vitray-Meyerovitch, E. de, *Anthologie du soufisme*, Albin Michel, Paris, 1995.

Zeghibour, S., *L'Islam*, Desclée de Brouwer, Paris, 1990.

Crédits photographiques

Jaquette : Bruno Quaresima.

Marka : 6 (Fototeca Storica Nazionale di Ando Gilardi), 8-9 (T. Martino), 10, 11 (C. Cascio), 12 (G. Mereghetti), 15 (M. Monti), 16b (C. Cascio), 17 (G. Mereghetti), 19 (S. Navarrini), 20 (Fototeca Storica Nazionale di Ando Gilardi), 21 (F. Pizzocchero), 23 (Lehtikuva), 26 (G. Tomsich), 27 (Fototeca Storica Nazionale di Ando Gilardi), 33a (Fototeca Storica Nazionale di Ando Gilardi), 40 (S. Stocchi), 42 (G. Mereghetti), 43a, 44 (Bavaria), 48 (ACE), 52 (Fototeca Storica Nazionale di Ando Gilardi), 53, 56b (Zefa), 57 (A. Korda), 59b (A. Ramella), 62 (M. Monti), 63 (R. Nowitz), 69 (G. Mereghetti), 84 (Fototeca Storica Nazionale di Ando Gilardi), 85 (Fototeca Storica Nazionale di Ando Gilardi), 86-87 (A. Chilea), 90-91 (Impact Visual), 105b (M. Perelli), 109 (A. Korda), 111 (M. Perelli), 112b (M. Monti), 115 (R. Nowitz), 117a (Photri), 118a (Fototeca Storica Nazionale di Ando Gilardi), 118b (Lehtikuva), 120as (F. Giaccone), 121a (H. Kanus), 121c (A. Ramella), 124b (A. Ramella), 125a (Vloo), 125b (M. Cristofori), 126 (M. Perelli), 130 (A. Ramella).

Angela Prati : 72, 73, 74, 75, 88, 89, 94, 95, 105c, 110a, 114a, 119, 120b, 121b, 122a, 123, 124a, 131.

Alberto Ramella : 96a, 96b, 97a, 97b, 113a, 120ad, 122b, 127a, 129a, 135.

RCS Libri : 24a, 30, 31, 34, 35, 41a, 45a, 47, 103a, 104, 106a, 116, 117b.

Annalisa Romagnoni : 55.

Scala Istituto Fotografico Editoriale : 14, 28, 32, 36, 39, 41b, 43b, 46, 50a, 50b, 51a, 51b, 54, 68, 70, 71, 76, 77, 78-79, 80, 81, 82s, 82ad, 82b, 83, 92, 107, 108b, 128a, 136a, 136b, 137a, 137b, 138a, 139a, 139b.

Scala /Lange : 2, 22, 38, 58, 59a, 60-61, 64-65, 66a, 66b, 67, 93, 98, 99, 100-101, 106b, 127b, 128b, 129b, 133.

Achevé d'imprimer en septembre 1997
par Artegrafica S.p.A. - Verona
Italie